intermedioB

El retrato de Elisa

Un caso del detective Sergio Cortés

intermedioB

El retrato de Elisa

Un caso del detective Sergio Cortés

Textos y explotación didáctica
José Aranda Pedrosa

Dirección general de Es Espasa

Víctor Marsá

Dirección editorial de materiales educativos

Marisol Palés

Coordinación editorial

Alegría Gallardo

Edición

Ana Prado

Desarrollo de proyecto:

Mizar Multimedia, S. A.

Dirección ejecutiva

José Manuel Pérez Tornero

(Universidad Autónoma de Barcelona)

Dirección de planificación y coordinación

Claudia Guzmán Uribe

Dirección de contenidos

José M.ª Perceval

Dirección lingüística y didáctica

Santiago Alcoba

(Universidad Autónoma de Barcelona)

Coordinación general

Juan Manuel Matos López

Textos y explotación didáctica

José Aranda Pedrosa

Diseño de interior

Borja Ruiz de la Torre Guereñu

Maquetación

María José Viejo Pérez

Ilustraciones

Pablo Torrecilla

Diseño de portada

Tasmanias, S. A.

ISBN: 84-670-9039-1

Depósito Legal: M. 35.301-2002

Impreso en España / Printed in Spain

Impresión: Unigraf, S. L.

EDITORIAL ESPASA CALPE, S. A.

Carretera de Irún, km. 12,200

28049 Madrid

Presentación

La lectura extiende nuestra memoria, nuestra imaginación y nuestra inteligencia; también es la mejor forma de practicar y ampliar los conocimientos que ya se tienen de una lengua.
La colección **Es para leer**, *dirigida a estudiantes de español como lengua extranjera, ha sido concebida como instrumento de aprendizaje, pero también como fuente de disfrute. El texto de ficción* El retrato de Elisa *es un relato policiaco protagonizado por el detective aficionado Sergio Cortés, en el que se funden temas como el arte, la política, la ecología y el pasado. Una apasionante aventura a la que se añaden ejercicios de comprensión lectora, de análisis gramatical y de vocabulario, que permitirán al estudiante mejorar y poner en práctica su español.*

La dimensión lingüística

La colección **Es para leer** ofrece al estudiante de español lecturas graduadas en seis niveles de dificultad, diseñadas para adecuarse a los diferentes estadios de aprendizaje de la lengua.

La nivelación de la colección se ha establecido a partir de la programación de contenidos lingüísticos del curso *Es español*, de Es Espasa, basado a su vez en el Plan curricular del Instituto Cervantes:

ES ESPAÑOL	Contenidos lingüísticos	ES PARA LEER
inicial	lecciones 1-6	**inicial A**
	lecciones 7-12	**inicial B**
intermedio	lecciones 1-6	**intermedio A**
	lecciones 7-12	**intermedio B**
avanzado	lecciones 1-6	**avanzado A**
	lecciones 7-12	**avanzado B**

La adecuación lingüística de los textos a cada nivel de la colección se ha realizado desde un triple criterio: léxico, gramatical y funcional; y tomando como referencia la programación de contenidos antes mencionada. Estos criterios de adecuación aplicados a los textos han guiado, asimismo, tanto la selección y redacción de las notas explicativas que los acompañan como el diseño de ejercicios y actividades que complementan cada título.

El retrato de Elisa es una novela corta planteada para el nivel *INTERMEDIO B* de esta colección, que quedaría definido a través de los siguientes parámetros lingüísticos:

Base gramatical

Formas y usos del futuro imperfecto; perífrasis verbales frecuentes; indicadores de localización espacial o de duración; oraciones temporales en indicativo y subjuntivo; correlación de tiempos en estilo indirecto; presencia y ausencia del artículo; opiniones en indicativo y subjuntivo; subordinadas adjetivas en indicativo.

Base funcional

Usar expresiones características de las relaciones sociales; invitar y responder a la invitación; concertar citas; intervenir en conversaciones telefónicas; hablar de planes para el futuro; expresar probabilidad, hacer hipótesis y predicciones; preguntar por la salud o el estado de ánimo; expresar temor, preocupación, alegría, sorpresa y pena; utilizar frases que expresan finalidad; transmitir las palabras de otros; introducir un tema u opinión; organizar las partes de un discurso; indicar acuerdo y desacuerdo; expresar condiciones, disculpas y decepción; expresar juicios y valoraciones, sentimientos y preferencias, y mostrarse a favor o en contra de una propuesta o idea.

Base léxica

De 1.100 a 1.600 palabras, propias de los campos semánticos correspondientes a las funciones comunicativas del nivel.

En la adecuación lingüística del texto a este nivel, y en lo que a estructuras gramaticales se refiere, se ha procurado mantener el orden lineal de la frase (Sujeto⇨Verbo ⇨Objeto), aunque también se han recogido con naturalidad los casos de anteposición o dislocación enfática, de puesta de relieve de elementos de diferentes funciones circunstanciales o, en las oraciones compuestas, de alguna proposición subordinada.

Las notas

Todos los títulos de **Es para leer** ofrecen al estudiante la oportunidad de poner en práctica su nivel de español, pero también de ampliarlo y enriquecerlo a través de nuevas referencias léxicas, gramaticales, culturales y de uso, que se ofrecen destacadas en negrita a lo largo del texto y se explican puntualmente en forma de notas a pie de página. En la redacción de las notas se han aplicado los mismos criterios de gradación que para el texto.

Son particularmente objeto de este sistema de notas a pie de página: las expresiones o modismos; las frases hechas o construcciones fijas, tanto las preposicionales como las usadas en acepciones funcionales —culturales o sociales muy específicas o ceñidas al texto—, y algunas estructuras gramaticales relevantes o complementarias para el nivel. En algunos casos también se han incluido notas sobre uso gramatical, sobre pronunciación, sobre ortografía y sobre referencias culturales y geográficas.

Pese a que el sistema de notas es muy completo, recordamos al lector que el diccionario es un gran aliado para el aprendizaje de una lengua y recomendamos que acuda a sus páginas siempre que lo necesite.

El presente título, *El retrato de Elisa*, incorpora a la base lingüística del nivel unas 316 referencias léxicas nuevas, entre palabras y expresiones, como por ejemplo:

"**Propina:** Cantidad de dinero que se da, además del precio convenido cuando se paga en bares, restaurantes, taxis, etc., como muestra de que se ha quedado satisfecho por el servicio o el trato recibido".

También se añaden unas 41 referencias culturales y contextuales, como por ejemplo:

"**Levantarse con el sol:** Esta expresión tiene el significado de 'levantarse cuando sale el sol, cuando amanece'. A este respecto, conviene saber que en Costa Rica, por su situación geográfica, durante casi todo el año amanece alrededor de las 6.00 de la mañana y se hace de noche hacia las 6.00 de la tarde".

Finalmente, unas 25 referencias gramaticales y de uso, como por ejemplo:

"**Palmadita:** Pequeño golpe que se da con la palma de la mano. Fíjate en que esta palabra se ha formado añadiendo el sufijo diminutivo *[-ita]* al sustantivo *palmada*".

Los ejercicios

Con el objeto de rentabilizar al máximo la lectura se ofrecen varios ejercicios de comprensión lectora, de gramática y de vocabulario, con el fin de practicar los contenidos lingüísticos que se tratan en los tres relatos. Son ejercicios ordenados temáticamente y permiten repasar elementos y estructuras propias del nivel.

Los ejercicios propuestos son asequibles y variados, y su realización no ocupa mucho tiempo, de quince a veinte minutos. Para resolverlos se recomienda leer con atención los enunciados y responder a cada unas de las actividades propuestas. Si a pesar de todo persisten las dudas, el apartado final del libro ofrece las soluciones de las actividades. Éstas son de gran utilidad tanto para comprobar las respuestas acertadas como para repasar, si fuera necesario, algunos puntos del programa.

FICHA DE LECTURA

La novela policiaca

La novela policiaca nace en la segunda mitad del siglo XIX, aunque a lo largo del siglo XX es cuando alcanza su apogeo y se convierte en un género tremendamente popular. Desde que en 1841 Edgar Allan Poe creara al primer detective de la historia, C. Auguste Dupin, la narrativa policiaca ha experimentado innumerables transformaciones. Los relatos de Poe, además de establecer

las bases del género policiaco, convirtieron el crimen en una forma de misterio que podía resolverse mediante el análisis y la deducción. Cuarenta años después, siguiendo el camino abierto por Poe, el escritor escocés Arthur Conan Doyle creó al investigador más célebre de todos los tiempos, Sherlock Holmes. Luego aparecieron el padre Brown, del británico Gilbert K. Chesterton, el comisario de policía francés Jules Maigret, de Simenon, o el atildado Hercules Poirot, de la también británica Agatha Christie.

Hasta entonces, el género policiaco era un desafío intelectual con grandes dosis de misterio, donde el enigma —casi siempre, un asesinato— era resuelto, bien por el detective o bien por el lector. Pero en los Estados Unidos de principios de los años veinte se estaba gestando una revolución que transformaría radicalmente las claves del género policiaco. La nueva ficción en torno al crimen que nació de ella, lo que posteriormente se conocería como "novela negra", convirtió al género en reflejo de la cruda realidad y en un instrumento de crítica social. También la figura del detective sufriría grandes cambios: del elegante y burgués detective de la novela policiaca clásica anglosajona, aquella máquina pensante, deductiva y analítica, se pasó al hombre moral y físicamente duro, al investigador privado de la novela negra norteamericana. Ejemplo de ello son los investigadores Sam Spade, creado por Samuel Dashiell Hammett, Philip Marlowe, de Raymond Chandler, o Lew Archer, de Ross MacDonald. A diferencia de lo que sucedía con los detectives de la novela policiaca clásica, algunos de los personajes de novela negra norteamericana evolucionan en el transcurso de los relatos que protagonizan. Así por ejemplo, Lew Archer, a medida que envejece, pasa de ser un detective duro a un implacable rastreador de culpas.

El perfil de Sergio Cortés

Sergio Cortés es el personaje central de esta obra y el protagonista de otros casos que te presentamos en la colección **Es para leer**: *La joya de la corona* (INTERMEDIO A) y *El manuscrito encontrado en California* (AVANZADO A).

Sergio Cortés es un profesor de lengua y cultura españolas de la universidad pública de San Diego (California) que alterna las clases con su afición a la investigación. Tiene 27 años, cara ancha, frente despejada y ojos almendrados. Es un hombre alto y atractivo al que le cuesta mostrar lo mejor de sí mismo. Estuvo casado, pero su mujer le abandonó. Ahora vive solo en un pequeño apartamento abarrotado de libros y con vistas al mar.

Sergio Cortés dedica todo el tiempo que puede a su afición favorita: la investigación. Resuelve los casos gracias a su amplia formación cultural y a su perspicacia, pero cuando estos recursos fallan, no duda en recurrir a sus buenos contactos. Normalmente, su altruismo le impulsa a actuar sin esperar reconocimiento público ni compensaciones económicas. Sólo sus fracasos amorosos superan a sus éxitos como detective.

El retrato de Elisa

Sergio Cortés ha sido contratado como conservador del nuevo museo construido en Costa Rica por un rico magnate del café llamado Alonso de Espinosa. No obstante, en ningún momento llegará a trabajar en el museo. El misterioso retrato de una bella mujer y un asesinato propiciarán que se vea envuelto en una peligrosa y apasionante intriga en la que se mezclan arte, política, ecología y pasado. Juntando pedazos de aquí y de allá, el detective deberá reconstruir una siniestra historia de ambición, poder y culpas, silenciada hasta entonces a fuerza de dinero. Como le sucedió a Lew Archer, Sergio Cortés se convertirá en un implacable rastreador de culpas y descubrirá que nadie puede huir de su pasado. Igualmente, en el transcurso de su investigación también tendrá tiempo para darse cuenta de lo valiosa que es la amistad.

Parte 1
Azul

Capítulo 1

La oferta misteriosa

El sol primaveral brillaba sobre la universidad de San Diego. Ahora que se habían acabado las clases, el silencio reinaba en los jardines, en las escaleras, en los pasillos y en las aulas. Las personas que quedaban en el edificio **podían contarse con los dedos de una mano**[1]: la secretaria, el bibliotecario y yo, que estaba corrigiendo los exámenes finales en mi despacho. No podía quejarme de mis alumnos. Parecía que

* * * * * *

1 **Poder contarse algo con los dedos de una mano:** Expresión con la que se indica que 'algo es muy poco numeroso o que hay poca cantidad de algo'; de este modo se da a entender que la cantidad no supera el número de los cinco dedos de la mano, aunque no sea exactamente así.

habían aprovechado[2] el curso sobre los poetas de la **Generación del 27**[3].

Cuando **acabé**[4] la corrección, abrí el último de los libros que se amontonaban a la izquierda de mi escritorio y me dispuse a leer un poema de **Jorge Guillén**[5]

* * * * * *

2 **Habían aprovechado:** Aquí, el pretérito pluscuamperfecto se utiliza en la narración para hablar de una acción pasada *(Los alumnos de Sergio Cortés habían aprovechado sus clases)* anterior a otro momento también pasado (el momento en que Sergio está corrigiendo las pruebas y se siente satisfecho, que se narra como pasado). Este tiempo también se emplea para describir las circunstancias en las que tuvo lugar un acontecimiento. Por ejemplo: *Sergio supo que sus alumnos habían aprovechado sus clases cuando corrigió las pruebas;* pero siempre tiene ese sentido de anterioridad de una acción (la acción de que los alumnos aprovechan las clases de Sergio) respecto a otra (la acción de que Sergio corrige las pruebas).

3 **Generación del 27:** Grupo de poetas españoles unidos por relaciones de amistad y con gustos literarios, artísticos e inquietudes comunes. Con sus obras contribuyeron a que la poesía en lengua española viviera una "segunda Edad de Oro" a principios del siglo XX. Algunos de los más destacados poetas pertenecientes a este grupo son Pedro Salinas, Jorge Guillén, Vicente Aleixandre, Federico García Lorca y Rafael Alberti.

4 **Acabé:** El pretérito indefinido es el tiempo más utilizado para expresar acciones concluidas en el pasado y suele ir acompañado de marcadores temporales como *ayer, aquel día, el año pasado,* etc. En algunos usos y variantes del español se utiliza con marcadores que incluyen el momento 'ahora' en el que se habla: *Hoy / Esta mañana / Este mes acabé.* No obstante, en este caso se prefiere la forma correspondiente del pretérito perfecto: *Hoy / Esta mañana / Este mes he acabado.*

5 **Jorge Guillén:** (Valladolid, 1893-Málaga, 1984) Poeta español perteneciente a la Generación del 27. Abandonó España con motivo de la guerra civil y marchó a Estados Unidos, donde impartió clases de literatura española. Entre sus libros destacan *Cántico* (1950), *Clamor* (1963) y *Homenaje* (1967). El poeta fue galardonado por el conjunto de su obra en 1976 con el premio Cervantes.

que había incluido en la prueba. Se titulaba *Los amigos* y empezaba con este verso: "Amigos. Nadie más. El resto es selva". Aún no había acabado de leerlo cuando sonó el teléfono de mi despacho.

—¿Señor Sergio Cortés? Su taxi ya está aquí —dijo la voz de la secretaria.

—Gracias —contesté—. Dígale al taxista que espere cinco minutos, por favor.

Cerré el libro y busqué la lista con las notas de las pruebas. Recogí la maleta de cuero, eché un último vistazo al despacho y al salir colgué la lista en la puerta.

El taxista que me llevaba al aeropuerto era un hombre alto, de **rasgos**[6] indios. Conducía despacio, disfrutando del paisaje.

—Si tiene usted prisa puedo ir más rápido —dijo con los ojos puestos en el **retrovisor**[7]. Eran unos ojos que tenían ganas de conversación.

—No, **tengo tiempo de sobra**[8]. Mi vuelo **no sale hasta dentro de dos horas**[9].

* * * * * *

6 **Rasgo:** Cualquiera de las partes que forman el rostro humano. Se utiliza más en plural. Por ejemplo: *los rasgos de la cara.*

7 **Retrovisor:** Pequeño espejo que está colocado en la parte delantera o a cada uno de los lados de los automóviles y que permite al conductor ver lo que ésta a sus espaldas.

8 **Tener tiempo de sobra:** Expresión que significa 'disponer de suficiente tiempo para hacer algo'.

9 **No sale hasta dentro de dos horas:** Observa que el verbo *salir* aparece en tiempo presente *(sale),* pero se refiere a una acción futura, como precisa el marcador temporal que lo acompaña *(hasta dentro de dos horas).* Así, se podría haber dicho *No saldrá hasta dentro de dos horas.* Esta forma de referirse al futuro utilizando el presente es muy habitual en la lengua española, pero sólo se emplea cuando se trata de un futuro cercano al presente del hablante (en nuestro ejemplo, dos horas).

—Sin prisas. Eso es. Usted es como yo. ¿Y adónde viaja? **Si no es indiscreción**[10].

—A **Costa Rica**[11] —al tiempo que lo decía, recordé los pasos que me llevaban allí.

Dos semanas atrás había recibido una misteriosa carta. Era una oferta de trabajo como **conservador**[12] del nuevo museo de **San José**[13], acompañada de un **cheque**[14] y de un billete de avión. Acepté casi de inmediato la oferta, en parte porque pagaban bien y el trabajo me gustaba, pero principalmente porque mi instinto me decía que aceptara. Igual que una brújula siempre **señala**[15] el norte, mi instinto siempre apunta hacia el peligro y la aventura.

—No **he estado**[16] en Costa Rica —continuó el taxista—, pero dicen que es "la Suiza de América Central".

* * * * * *

10 **Si no es indiscreción:** Ésta es una expresión educada con la que se plantea a una persona una pregunta que quizá no sea conveniente. Con el mismo sentido se podría decir: *Perdone el atrevimiento.*

11 **Costa Rica:** (República de Costa Rica) País centroamericano situado entre Nicaragua (al norte) y Panamá (al sur), y entre el mar Caribe (al este) y el océano Pacífico (al oeste).

12 **Conservador:** Persona que se encarga de mantener o cuidar alguna obra de arte o un museo.

13 **San José:** Capital de la república de Costa Rica y provincia del mismo nombre. La ciudad está situada sobre el Valle Central, a 1.100 metros sobre el nivel del mar, y tiene una población aproximada de un millón de habitantes.

14 **Cheque:** Documento que firma una persona con el cual da permiso a otra a retirar de su cuenta bancaria una determinada cantidad de dinero.

15 **Señala:** Este presente se llama presente gnómico. Con él, los hechos se presentan como verdades generales; se considera que tienen un valor universal. Por ejemplo: *La Tierra gira alrededor del Sol; El hombre es mortal; El agua se congela a cero grados centígrados.*

16 **He estado:** El pretérito perfecto se usa para narrar acontecimientos y acciones únicas que se desarrollan en un tiempo pasado cercano al hablante, o en un momento que incluye el 'ahora' en el que se habla. Son indicadores de tiempo que lo acompañan *hoy, esta mañana, este mes,* etc.

Si pudiera, yo también viajaría sin dudarlo un instante... Nunca permanezco mucho tiempo en un mismo sitio, ¿sabe? Tengo que moverme constantemente...

—Usted es un aventurero —respondí con una sonrisa.

—¿Aventurero, dice? No, no creo. Más bien un insatisfecho. Quiero decir que cuando estoy en un sitio, quisiera estar en otro. Y cuando voy allí, casi me arrepiento de haber ido... —dijo el sabio taxista indio—. Lo malo de los viajes **es que**[17] **uno**[18] sabe cómo empiezan, pero no cómo acaban. De saberlo, quizá habría menos personas insatisfechas.

—Y también menos aventureros —dije pensando en mí mismo.

* * *

* * * * * *

17 Es que: Con esta construcción, muy utilizada en la lengua coloquial, se introduce una explicación. Es una forma de poner énfasis en lo que se va a decir.

18 Uno: Pronombre indeterminado que en singular significa 'una persona cualquiera'. En plural designa a dos o más personas cuyo nombre se ignora o no se quiere decir. Por ejemplo: *Uno lo dijo; Unos lo contaron anoche.* También se utiliza en singular aplicado a la persona que habla (es el uso que aparece en el texto) o a una persona indeterminada. Por ejemplo: *Cuando uno confiesa y llora su culpa, merece compasión; No siempre está uno de humor para hacer eso; Le fastidian a uno; Uno no sabe qué hacer.*

Capítulo 2

Oro negro

El vuelo desde San Diego hasta San José de Costa Rica me pareció casi tan corto como los diecisiete kilómetros que separaban el aeropuerto de mi hotel. Al llegar intenté dormir una siesta, pero **no pude conciliar el sueño**[19]. Estaba impaciente por conocer a Alonso de Espinosa. Él era quien me pagaba y quien me había contratado para trabajar en su museo.

Como aún faltaba más de una hora para mi cita con Espinosa, decidí salir a la calle, **dar una vuelta**[20] y alquilar un coche.

La ciudad de San José era un tablero de ajedrez inmenso rodeado de verde por los cuatro costados. Estaba situada en un fértil valle, de cara al océano Pacífico y de espaldas a la meseta Central. De ese tablero de casas partían carreteras estrechas y **serpenteantes**[21] que se perdían en la **falda**[22] de las montañas y volcanes vecinos. Salí de la ciudad y conduje por una de esas carreteras. A pesar de que hacía una tarde calurosa y despejada, en el horizonte aparecían negras nubes que anunciaban una fuerte tormenta[23].

* * * * * *

19 **No poder conciliar el sueño:** Expresión que significa 'no poder dormir'.

20 **Dar una vuelta:** Esta expresión significa 'dar un paseo corto'.

21 **Serpenteante:** Que está lleno de vueltas y curvas, semejante al movimiento de las serpientes.

22 **Falda:** Parte baja de las montañas o de las sierras.

23 Costa Rica es un país con clima tropical, con unas temperaturas y una humedad muy elevadas durante todo el año. Pueden diferenciarse dos estaciones: una lluviosa, a la que llaman invierno (de mayo a septiembre), y otra seca (de diciembre a abril), a la que llaman verano.

Al final de una llamativa carretera de tierra rojiza se hallaba la mansión de Alonso de Espinosa. Era una amplia casa de estilo colonial situada cerca de la **laguna de Fraijanes**[24] y del **volcán Poás**[25].

En la verja de entrada me llevé la primera sorpresa: un grupo de **manifestantes**[26], la mayoría muy jóvenes, se había encadenado a los largos **barrotes**[27]. Por sus gritos y **pancartas**[28] deduje que eran ecologistas que **se oponían**[29] a la construcción de una autopista.

Dejé atrás a los manifestantes y aparqué en una zona en la que había más de una veintena de coches. Calculé que debieron de **talar**[30] todo un bosque sólo para construir el aparcamiento de la mansión.

En la puerta principal me recibió una **doncella**[31] **mestiza**[32]. Le dije quién era y a quién había ido a ver.

* * * * * *

24 **Laguna de Fraijanes:** Pequeño lago situado al pie del volcán Poás, a 15 kilómetros de la población de Alajuela. La laguna se formó en 1889, por efecto de un fuerte terremoto.

25 **Volcán Poás:** Volcán activo que tiene 2.704 metros de altitud y que está situado en el valle Central o meseta Central, al norte de Alajuela. El volcán, que tiene uno de los cráteres más anchos del mundo, da nombre al Parque Natural en el que se encuentra.

26 **Manifestante:** Persona que participa en una reunión con otras personas para dar su opinión, protestar por algo o pedir alguna cosa.

27 **Barrote:** Barra gruesa que se coloca en ventanas y puertas, y que sirve para evitar que una persona o un animal entre a un lugar o salga de él.

28 **Pancarta:** Trozo de papel o de tela de gran tamaño en el que se escribe o dibuja alguna cosa para que la vean los demás y que se suele llevar en las manifestaciones.

29 **Oponerse:** Estar en contra de algo, rechazarlo o no aceptarlo.

30 **Talar:** Cortar uno o muchos árboles por su base.

31 **Doncella:** Mujer que se dedica a los trabajos domésticos que no están relacionados con la cocina.

32 **Mestizo/-a:** Hijo de padres que pertenecen a razas diferentes.

No hizo falta que le mostrara ningún tipo de **identificación**[33]. Esperé unos minutos en un lujoso recibidor blanco, rodeado de blancas columnas de **mármol**[34]. Desde allí se oía música mezclada con el **rumor**[35] de voces, pero no los gritos de los manifestantes.

El propio Alonso de Espinosa acudió a recibirme. Era un hombre de mediana estatura, robusto y elegantemente vestido. Tenía el pelo y el bigote negros, llevaba gafas oscuras y usaba **bastón**[36].

—Cuánto me alegra que haya venido, señor Cortés —dijo Espinosa al tiempo que me tendía la mano libre.

* * * * * *

33 Identificación: Documento en el que aparecen el nombre y otras informaciones de una persona, y que sirve para demostrar su identidad.

34 Mármol: Piedra dura y brillante, generalmente de color blanco mezclado con otros colores, que se puede pulir con facilidad y que se utiliza para hacer esculturas, paredes, columnas, suelos, etc.

35 Rumor: En el texto significa 'ruido confuso y no muy alto de voces', pero esta palabra también se usa para referirse a una noticia o una información cuyo origen no se conoce.

36 Bastón: Palo que tiene uno de sus extremos (la empuñadura) adaptado para poder sujetarlo y que sirve para que las personas se apoyen en él al andar. En el texto Espinosa usa bastón porque cojea, por eso arrastra su pierna izquierda cuando anda.

Una mano fría y floja—. Acompáñeme. Vayamos a un sitio donde no se oiga esta horrible música.

Arrastrando la pierna izquierda, Espinosa me llevó a través de la biblioteca hasta su despacho. Allí las paredes estaban **abarrotadas**[37] de fotografías. En casi todas ellas aparecía el propio Espinosa: en una estaba celebrando una victoria, junto a un grupo de hombres que me parecieron políticos; en otra, pescaba detrás de un hombre mayor, que **debía de**[38] ser su padre...

Me dediqué a observar la fotografía que tenía más cerca. Había sido tomada en una plantación de café. Espinosa estaba sonriendo al lado de un camión que los trabajadores llenaban de **sacos**[39]. En el camión se leía: "Cafés Espinosa. Oro negro".

—Si de algo estamos orgullosos los costarricenses es de nuestro café[40] —dijo Espinosa señalando precisamente la fotografía que yo estaba mirando—. De los "granos de oro" vivieron mi padre y el padre de mi padre...

* * * * * *

37 Abarrotado/-a: Que está completamente lleno. Esta palabra es el participio del verbo *abarrotar.*

38 Deber de: El verbo *deber* expresa una obligación ('estar obligado a algo'). Por ejemplo: *Estoy seguro de que Juan debe conocer el problema, porque lo ha estudiado bien.* No obstante, cuando va seguido de la preposición *de,* expresa una suposición o una duda. Por ejemplo: *Supongo que Juan debe de conocer la solución del problema, porque es muy listo.*

39 Saco: Bolsa grande, de tela resistente, que está abierta por uno de sus extremos y que sirve para meter o para transportar cosas.

40 El café y el turismo son las principales fuentes de riqueza de la economía de Costa Rica. Por su calidad, el café costarricense está considerado como uno de los mejores del mundo. Las principales plantaciones cafetaleras están situadas en el Valle Central y en el Valle de Turrialba. La recogida del café, lo que los costarricenses llaman "granos de oro", dura desde octubre hasta enero en el Valle Central y desde marzo a noviembre en el Valle de Turrialba.

Y ahora, yo. Siéntese, señor Cortés, siéntese —añadió después de tomar asiento detrás de su mesa—. ¿Qué tal el viaje?

—Corto —contesté—. Lo aproveché para leer y descansar un poco.

—Bien —dijo **frotándose**[41] las manos—. Espero que el hotel y el sueldo sean de su agrado.

—Así es —respondí.

—Bien —repitió—. Necesitará estar descansado y sentirse como en casa porque le esperan unos días muy **ajetreados**[42]. La inauguración del museo tendrá lugar dentro de tres días...

—Cuanto antes, mejor —respondí.

—¡Ah! Ya debe de saber cuánto dinero y trabajo cuesta construir y mantener un museo. Pero para mí es algo totalmente nuevo... —dijo, y suspiró hondo—. De manera que usted, señor Cortés, es la persona que necesitaba para que se hiciera cargo de él y lo **sacara adelante**[43]... Ya ve que tengo muchas esperanzas puestas en usted, así que no me **defraude**[44]...

—Lo intentaré —contesté.

—Por cierto, ¿hace mucho tiempo que se dedica a la conservación de museos? —me preguntó Espinosa.

—Ésta será la primera vez —dije, sorprendido por la pregunta.

* * * * * *

41 **Frotar:** Pasar repetidamente una cosa sobre otra con fuerza; en el caso del texto, donde aparece con el pronombre personal correspondiente *(se)*, una mano sobre la otra. Por ejemplo: *Yo me froto las manos; Silvia se frota las manos.*

42 **Ajetreado/-a:** Que tiene mucha actividad o movimiento.

43 **Sacar adelante:** Expresión que significa 'llevar un asunto o un negocio a un buen final'.

44 **Defraudar:** Se dice que algo o alguien defrauda cuando es peor de lo que se esperaba que fuera.

Él también parecía sorprendido con mi respuesta, porque sus cejas se levantaron por encima de la **montura**[45] de las gafas oscuras. Permaneció callado mientras escogía un puro, lo olfateaba, se lo llevaba a sus gruesos labios y lo encendía. No podía ver sus ojos. Sin embargo, su cara me decía que algo no iba bien.

—La primera vez... Vaya, vaya —dijo **entre dientes**[46], y soltó una **bocanada**[47] de humo.

A partir de entonces todo fue muy rápido. La entrevista duró lo que dura un trozo de hielo en el fuego. El **magnate**[48] me estaba contando detalladamente cuánto trabajo y dinero le había costado construir su museo cuando llamaron a la puerta.

—Adelante —dijo Espinosa.

—Ha venido el alcalde, junto con una representante de los ecologistas. Raúl Izquierdo está que **se sube por las paredes**[49]. Habrá que darle...

El hombre que había abierto la puerta interrumpió la frase en cuanto me vio. También la sonrisa desapareció de sus labios. Tenía aspecto de **púgil**[50], la mandí-

* * * * * *

45 Montura: Soporte de metal, plástico u otros materiales en que se colocan los cristales de las gafas.

46 Entre dientes: Con esta expresión se alude a la forma de decir algo, en voz baja y con desprecio o disgusto.

47 Bocanada: Cantidad de aire, humo o líquido que se toma o se echa de una vez por la boca.

48 Magnate: Persona que tiene mucho poder e influencia en el mundo de los negocios, la industria o las finanzas. En el texto hace referencia a don Alonso de Espinosa.

49 Subirse por las paredes: Esta expresión significa que una persona 'se muestra muy irritada y nerviosa'.

50 Púgil: Boxeador, persona que practica el boxeo, deporte en el que se lucha con otra persona golpeándose con los puños.

bula cuadrada y la nariz **chata**[51]. Su piel estaba tostada por el sol. Debía de ser uno de los ayudantes del magnate, aunque parecía más bien su **guardaespaldas**[52].

—Gracias, Zano —dijo secamente Espinosa y me señaló con un dedo—. Será mejor que les presente: Ricardo Zamora, Zano...

—Sergio Cortés —dije, al tiempo que me levantaba.

No nos estrechamos las manos.

—Señor Cortés, Zano le acompañará a la fiesta —dijo Espinosa, dando por concluida la entrevista—. Allí se encuentran la condesa Lula y el pintor Rafael Mínguez. Ellos le contarán los detalles acerca del museo y de su trabajo. Ahora debe perdonarme... Soy un hombre ocupado... Y ya ve que problemas no me faltan. Ha sido un placer conocerle, señor Cortés —acompañó sus últimas palabras con dos **palmaditas**[53] en mi espalda y luego, dirigiéndose a Zano, añadió—: que pase sólo el alcalde, Zano; nada de ecologistas.

Al salir del despacho de Espinosa nos encontramos con el alcalde. Caminaba preocupado de un lado a otro de la biblioteca. Vestía traje gris y tenía las manos en los bolsillos del pantalón. Zano lo **abordó**[54] y le dijo:

—Señor Izquierdo, don Alonso le espera.

—Un momento —dijo el alcalde—, voy a buscar a la señorita Lau...

* * * * * *

51 **Chato/-a:** Que tiene la nariz pequeña.

52 **Guardaespaldas:** Persona que acompaña a otra para protegerla. Esta palabra sólo se utiliza en plural.

53 **Palmadita:** Pequeño golpe que se da con la palma de la mano. Fíjate en que esta palabra se ha formado añadiendo el sufijo diminutivo *[-ita]* al sustantivo *palmada.*

54 **Abordar:** Acercarse de manera brusca a alguien.

—No —lo detuvo Zano—. Espinosa no quiere ecologistas. Será mejor que entre usted solo.

Raúl Izquierdo entró inmediatamente en el despacho y yo seguí a Zano a través de un **laberinto**[55] de habitaciones, pasillos y puertas cerradas.

La sala en donde se celebraba la fiesta era rectangular. A la derecha de la banda de música la gente formaba grupos, se dejaba caer en los sillones o huía a la terraza, lejos del ruido. Zano me señaló a una mujer que sostenía una copa entre sus manos.

—Ésa es la condesa Lula —y acercándose a mi oreja, añadió con **malicia**[56]—: **me apuesto lo que quiera**[57] a que le habla de sus maridos y de su fortuna perdida.

Quise preguntarle a Zano quién de aquellas personas era el pintor Rafael Mínguez, pero cuando me di la vuelta ya había desaparecido de la sala. Era rápido y **sigiloso**[58]. Me dirigí hacia la condesa Lula, una mujer madura, de ojos grises y piel aún más gris. Había sido muy bella.

—¡Vaya, un hombre guapo **para variar**[59]! —dijo la

* * * * * *

55 Laberinto: Lugar formado por calles y caminos cruzados del que es muy difícil salir. En el texto, esta palabra se utiliza para hacer referencia a un sitio que confunde a quien está dentro de él, de modo que no pueda encontrar la salida.

56 Malicia: Mala intención, maldad.

57 Apostarse algo: Arriesgar o jugarse cierta cantidad de dinero o cualquier otra cosa anticipando cuál será el resultado de algo.

58 Sigiloso/-a: Que anda o actúa en silencio y con mucho cuidado para no hacer ruido.

59 Para variar: Esta expresión que se utiliza para dar énfasis cuando algo o alguien ha cambiado, cuando es diferente. Por ejemplo: *Siempre tomamos café de postre; pero hoy, para variar, tomaremos helado.* También se usa a menudo, con ironía, en sentido contrario. Por ejemplo: *Siempre tomamos café de postre; hoy, para variar, tomaremos café.*

condesa en cuanto me vio—. Estoy segura de que no lo conozco. Si lo conociera, me acordaría de usted. Soy la condesa Kodorowsky, pero puede llamarme condesa Lula, como hacen mis amigos —olía a **almizcle**[60] y tenía unos labios nerviosos.

—Sergio Cortés, el conservador del nuevo museo —me presenté, y recibí dos sonoros besos.

—¡Qué sorpresa! —dijo mirándome de arriba abajo—. Y yo que creía que iba a ser usted un viejo feo y ciego de tanto mirar cuadros... —soltó una risita aguda, me agarró del brazo y me arrastró hacia la terraza—. Allí estaremos mejor. Venga conmigo, que voy a **ser la envidia de**[61] la fiesta.

* * *

* * * * * *

60 Almizcle: Sustancia de olor intenso que segregan algunos animales y que se utiliza para hacer perfumes.

61 Ser la envidia de: Esta expresión tiene el significado de 'ser la persona más envidiada de algún sitio, ser la persona que todos desearían ser'. Por ejemplo: *La condesa Lula se llevó al hombre más guapo de la fiesta y fue la envidia de sus amigas.*

Capítulo 3

La mujer del cuadro

Desde la terraza, la vista era maravillosa. Tan sólo algunos rayos de sol se abrían paso entre las negras nubes, reflejando parte de un paisaje **abrupto**[62] y majestuoso: verdes plantaciones de café, campos de fresas, parte de un bosque **achaparrado**[63] y, al fondo, la gran y amenazadora **silueta**[64] del volcán.

—El museo te va a encantar, Sergio. ¿Me permites que te **tutee**[65], ¿verdad? —preguntó la condesa al tiempo que dejaba su copa vacía encima de la **baranda**[66]. No esperó mi respuesta—. Yo misma te llevaré de visita al museo. Y, de paso, te explicaré cómo he pensado que será la ceremonia de inauguración. Soy la encargada de prepararla, ¿sabes? Y estoy excitadísima... —se llevó una mano a la frente—. ¡Oh, pero basta de hablar de trabajo! Mejor hablemos un poco de nosotros...

—Muy bien —dije **resignado**[67]—, ¿qué quiere saber de mí, condesa?

* * * * * *

62 **Abrupto/-a:** Se dice de un terreno que tiene mucha pendiente o inclinación, que es de difícil acceso.

63 **Achaparrado/-a:** Se dice de una cosa que es baja y extendida.

64 **Silueta:** Perfil de una figura.

65 **Tutear:** Hablar de *tú* a alguien en lugar de hablarle de *usted*.

66 **Baranda:** Estructura que se encuentra en las escaleras, balcones o terrazas y que sirve para que las personas se apoyen o para evitar que se caigan. Generalmente, está formada por dos barras horizontales unidas entre sí por pequeñas columnas.

67 **Resignado/-a:** Que se conforma, que acepta una mala situación.

—Bueno, para empezar, no estaría mal saber si un hombre guapo como tú está casado... —empezó a decir; era una mujer lista.

—Lo estuve —respondí secamente.

—¡Vaya, y además soltero! Mis amigas no se lo van a creer —sus claros ojos estaban muy **dilatados**[68]—. Yo me casé no una, sino cinco veces —me mostró cinco dedos llenos de anillos.

Inmediatamente pensé que Zano habría ganado la apuesta, ya que la condesa Lula tardó muy poco en **ponerme al corriente de**[69] sus cinco matrimonios. Naturalmente, también me habló de su fortuna perdida. De cómo la aristocrática familia polaca de la que procedía se había visto obligada a emigrar. De un tema pasaba a otro tema. Y luego, a otro... Justo en el momento en que me estaba hablando de Espinosa y de sus importantes negocios relacionados con el café, **se desató**[70] la tormenta. La intensa lluvia me salvó.

Regresamos adentro y, con la **excusa**[71] de que tenía que encontrar urgentemente al pintor Rafael Mínguez, me despedí de ella.

—No puedo creerlo. ¿Me dejas para ir a hablar con un pintor viejo y **chiflado**[72]? Porque el señor Mínguez será famoso, sí, pero también está loco —exclamó la

* * * * * *

68 Dilatado/-a: Que ha aumentado de tamaño y ocupa más espacio.

69 Poner al corriente a alguien de algo: Esta expresión tiene el significado de 'informar o contarle a alguien algo que no sabe'.

70 Desatarse: Comenzar de manera violenta, intensa y repentina una tormenta, un huracán, etc.

71 Excusa: Motivo o razón que se da para evitar una obligación o para disculparse por algo.

72 Chiflado/-a: Se dice familiarmente de la persona que está loca.

condesa Lula un poco dolida, antes de que yo abandonara la sala de fiestas.

Pregunté si habían visto al pintor a algunas de las personas con las que **me crucé**[73] en los distintos pasillos y habitaciones. Todas lo habían visto, aunque no sabían dónde podía encontrarse en ese momento. Cuando **me di por vencido**[74], me hallaba en una **estancia**[75] azul, repleta de pinturas que colgaban de las paredes.

De entre las pinturas, enseguida **me llamó la atención**[76] el pequeño retrato de una mujer. Era muy bella, pero de una belleza fría y **enigmática**[77]. Quizá daba esa impresión porque el pintor **había difuminado**[78] sus rasgos, de manera que sus ojos y cabellos muy oscuros contrastaran con su **tez**[79], clara y suave como el **alabastro**[80]. Aquella mujer **ejercía**[81] sobre mí la atracción que ejerce un imán sobre un trozo de metal. Estaba con-

* * * * * *

73 **Cruzarse:** Pasar por el mismo lugar dos personas o cosas, en dirección opuesta.

74 **Darse por vencido:** Esta expresión tiene el significado de 'rendirse, aceptar la derrota'.

75 **Estancia:** Habitación o sala de una vivienda o de otro edificio.

76 **Llamar (alguien/algo) la atención:** Esta expresión significa que 'una persona o cosa despierta el interés o la curiosidad de los demás'.

77 **Enigmático/-a:** Que es misterioso, que es difícil de comprender o interpretar.

78 **Difuminar:** Hacer líneas o colores desdibujados, poco resaltados.

79 **Tez:** Piel de la cara.

80 **Alabastro:** Piedra blanca, no muy dura y algo trasparente, que utilizan los artistas para hacer esculturas.

81 **Ejercer:** Realizar sobre alguien o algo una acción, influencia, etc. Por ejemplo: *Los manifestantes ejercían presión sobre las autoridades.*

templándola totalmente **absorto**[82] cuando, a mis espaldas, una voz de hombre me **sobresaltó**[83]:

—No puede usted apartar los ojos de ella, ¿verdad?

—Así es —respondí, girándome para mirar al hombre alto, frágil y vestido completamente de negro que me rescató del **embrujo**[84] de la pintura.

—Se llamaba Elisa —dijo señalando a la mujer del cuadro—. La retrató, hace muchos años, un pintor joven y pobre. Pobre, sí, pero también **ambicioso**[85]. No podía pagar a una modelo para que **posara**[86] y utilizó a Elisa en muchos de sus cuadros. Aunque éste es especial... Éste es el retrato que hizo de ella antes de que muriera en el **parto**[87] de su única hija. La pintó **de memoria**[88]...

—¿Por eso difuminó su rostro? —pregunté al hombre de negro.

—Por eso —**asintió**[89]—, y también porque hacía tiempo que se habían separado... Ya le dije que era un joven ambicioso... Yo diría que el precio que tuvo que pagar por ser famoso fue alejarse de la mujer a la que amaba —desvió la vista del retrato de Elisa y se quedó callado.

* * * * * *

82 **Absorto/-a:** Que está ajeno o distraído de todo, para concentrarse atentamente en algo.

83 **Sobresaltar:** Asustar o alterar de manera repentina.

84 **Embrujo:** Fascinación, encanto, atracción misteriosa y oculta que ejerce una persona o cosa.

85 **Ambicioso/-a:** Que tiene muchos deseos de conseguir poder, riquezas o fama.

86 **Posar:** Permanecer en una determinada postura y sin moverse para servir de modelo a un pintor, un escultor o un fotógrafo.

87 **Parto:** Momento en el que la mujer tiene a su hijo.

88 **De memoria:** Utilizando tan sólo el recuerdo que se tiene de algo, sin ayudarse de nada más.

89 **Asentir:** Estar de acuerdo sobre un asunto o propuesta.

Tenía el pelo largo y **canoso**[90], la cara **chupada**[91] y los ojos melancólicos. Era como si el cuadro le hiciera volver a su propio pasado. Un pasado lleno de sufrimiento.

—Una triste historia —dije para romper el silencio.

—Pues espere a saber lo mejor. Este retrato permaneció durante algún tiempo en el dormitorio de Espinosa —añadió levantando los ojos de nuevo hacia la figura de Elisa—. Hasta que dijo que el cuadro le provocaba **pesadillas**[92] y no le dejaba dormir. **Entonces**[93] lo ocultó en esta habitación, entre todas esas pinturas... —explicó aquel hombre frágil señalando las paredes azules. Había cierta amargura o cierto resentimiento en sus palabras.

—Nunca creí que un cuadro pudiera ser tan peligroso —dije.

—Ni usted, ni Espinosa, ni el mismísimo **emperador**[94] chino... —empezó a decir el hombre y, al ver mi cara de sorpresa, se apresuró a explicarse—. Cuentan que un antiguo emperador chino hizo borrar la **cascada**[95] dibujada en uno de los cuadros de su habitación porque el ruido del agua no le dejaba dormir.

* * * * * *

90 Canoso/-a: Que tiene muchas canas o cabellos blancos.

91 Chupado/-a: Que está muy flaco o delgado.

92 Pesadilla: Sueño que produce sentimientos de temor y angustia.

93 Entonces: Recuerda que este adverbio significa ‘en tal / ese momento, tiempo u ocasión’ y que se puede referir a un momento del pasado o del futuro, según lo que se haya indicado antes. Por ejemplo: *Estaba contenta; entonces hablaba con todos. Hará bien el examen; entonces estará contenta.*

94 Emperador: Persona que tiene la autoridad suprema en un imperio. El femenino de esta palabra es *emperatriz.*

95 Cascada: Caída del agua de un río, desde cierta altura, por una pendiente o un desnivel brusco de su cauce.

Parecía disfrutar en secreto con esas historias en las que la realidad se mezclaba con la fantasía. Se apartó el pelo de su **atormentada**[96] frente. Entonces pareció que por primera vez se daba cuenta de que yo también estaba allí.

—¡Oh! Perdón, debe disculparme... ¡Qué **torpe**[97] soy...! —su cara enrojeció—. Sé quién es usted; sin embargo, yo aún no me he presentado. Soy Rafael Mínguez. Creo que nos andábamos buscando el uno al otro.

Le estreché la mano fuerte, huesuda y **vellosa**[98]. Luego, el pintor Rafael Mínguez miró alrededor y me pidió que le acompañara a la habitación **contigua**[99]. También había cuadros allí. Eran **abstractos**[100] e inquietantes.

—Profesor Cortés, no sabía a quién acudir y pensé que usted... —murmuró el pintor. Ahora su cara reflejaba temor—. Siento..., siento **haberle metido en la boca del lobo**[101]...

—Explíquese, señor Mínguez —le interrumpí impaciente—; trate de explicármelo todo desde el principio para que pueda entenderlo.

* * * * * *

96 **Atormentado/-a:** Que está lleno de dolor o pena.

97 **Torpe:** Que le falta destreza y habilidad; que no sabe hacer bien algo.

98 **Velloso/-a:** Que está lleno de vello, esto es, pelo corto y suave que cubre algunas partes del cuerpo.

99 **Contiguo/-a:** Que está al lado de otra cosa o lugar.

100 **Abstracto/-a:** Este adjetivo se utiliza para definir las obras de arte que se basan en la forma, la proporción y el color característicos de algunos artistas del siglo XX, que no representan fielmente la realidad concreta.

101 **Meter en la boca del lobo:** Expresión que significa 'exponerse sin necesidad a un peligro seguro'.

—Aquí no...; aquí no puedo hacerlo —repitió casi susurrando—; aquí **las paredes oyen**[102]... Me vigilan, profesor Cortés. Aquí corro, corremos —se corrigió— peligro...

Guardó silencio. Sus dedos me apretaban el brazo con fuerza. Como yo, el pintor Rafael Mínguez había escuchado el ruido de unos pasos que se acercaban.

—¡Ah, al fin te encuentro, querido Sergio! —exclamó la condesa Lula en cuanto entró en la habitación. Traía otra copa en la mano—. Me has dejado muy sola en la fiesta... —agregó como si **regañara**[103] a un niño, y luego miró al pintor—. Veo que ya **has dado con**[104] el señor Mínguez.

—Sí..., estábamos conversando sobre pintura —mentí.

—¡**Adónde ha ido a parar**[105] la pintura!, ¿verdad? —empezó a decir la condesa mientras se giraba para contemplar los cuadros abstractos—. Cuatro **brochazos**[106] por aquí, dos puntitos por allá... Y la firma, claro, la firma, que es la única cosa que se entiende... Porque lo que son los dibujos, yo no los entiendo. Y los críticos de arte, aunque digan y escriban lo contrario, tampoco... —su voz cada vez era más aguda—. ¿Qué opina usted, señor Mínguez?

* * * * * *

102 Las paredes oyen: Esta expresión se utiliza para aconsejar a una persona que tenga cuidado al hablar, porque alguien puede estar escuchándola y enterarse de lo que dice.

103 Regañar: Dar a alguien muestras de enfado o disgusto, con palabras y gestos, por algo que ha hecho o que ha dicho.

104 Dar con: Encontrar.

105 Adónde ha ido a parar: Expresión que se utiliza para indicar asombro ante nuevas cosas o situaciones, o por el desarrollo y los cambios que ha tenido algo.

106 Brochazo: Cada una de las pasadas que se dan con la brocha, que es el instrumento que sirve para pintar.

—Yo soy de los que dan brochazos, condesa Kodorowsky, no crítico... —contestó el pintor, mientras escribía algo en una tarjeta y luego me la tendía con la mano—. Profesor Cortés, **proseguiremos**[107] nuestra charla sobre pintura mañana por la tarde en mi casa. A las siete, si no tiene ningún inconveniente.

—Allí estaré —respondí, y me guardé la tarjeta con la dirección de su casa en la cartera. En el **reverso**[108] estaba escrita, con la apretada **caligrafía**[109] del pintor, la hora de la cita.

La condesa Lula esperó a que el pintor saliera de la habitación para añadir, **guiñándome**[110] un ojo:

—Te lo dije. Cada vez está más loco. La fama **se le ha subido a la cabeza**[111]... ¡Si incluso te ha llamado profesor! —exclamó riéndose.

* * * * * *

107 Proseguir: Seguir, continuar.

108 Reverso: En general, con esta palabra se designa la 'parte opuesta al frente de una cosa', la 'cara posterior', pero cuando se habla de un texto escrito es la 'cara en la que está escrita la segunda página'. También se usa para referirse a las medallas y monedas; en este caso, la parte opuesta al *reverso* se llama *anverso*. Según el objeto de que se trate, cambian las palabras: para las personas se habla del *frente* o la *cara* y la *espalda;* para textos escritos, medallas y monedas, del *anverso* y el *reverso;* sólo para monedas, de la *cara* y la *cruz;* finalmente, en las hojas de los árboles tenemos el *haz* y el *envés.*

109 Caligrafía: Conjunto de rasgos que caracterizan la escritura de una persona o de un escrito.

110 Guiñar: Cerrar un ojo momentáneamente mientras se mantiene el otro abierto.

111 Subirse (algo) a la cabeza (a alguien): Esta expresión coloquial tiene el significado de 'mostrar orgullo alguien por una nueva situación o cargo'. Por ejemplo: *A Vicente se le ha subido a la cabeza el cargo de director del hotel.*

Capítulo 4

La visita de Laura

Cuando por fin abandoné la mansión de Espinosa, tanto las nubes como el grupo de manifestantes ecologistas se habían retirado. El atardecer era fresco y limpio. Conduje despacio, de vuelta al hotel, respirando el olor a tierra y a hierba mojada.

Mi cabeza no dejaba de **dar vueltas a**[112] todo lo ocurrido. Estaba preocupado y sólo encontraba preguntas sin respuesta. ¿Por qué Espinosa, el hombre que me había contratado, parecía saber menos cosas sobre mí que el pintor Rafael Mínguez? ¿Tendría algo que ver el nerviosismo del alcalde Raúl Izquierdo con la **ira**[113] de

* * * * * *

112 Dar vueltas a (algo): Pensar mucho y con todos los detalles una cosa. Por ejemplo: *Enrique le da vueltas a la idea de comprar un piso.*

113 Ira: Enfado muy grande y violento.

los manifestantes? Y, sobre todo, ¿de qué tenía tanto miedo el pintor? **Tal vez**[114] me hacía las preguntas equivocadas...

Llegué a la **conclusión**[115] de que lo mejor sería comenzar por el principio y tratar de informarme sobre aquellos extraños personajes. Especialmente, sobre Espinosa: un hombre que no se quita las gafas oscuras cuando te habla no puede **inspirar**[116] confianza. Cuando hablo con alguien necesito mirarle a los ojos...

Enseguida supe quién me podía dar la información que buscaba: Manuel Pardo, un joven periodista y un viejo amigo que vivía en San José. Trabajaba desde hacía algún tiempo para el periódico *El Observador.*

A Manuel le conocí en San Diego, seis años atrás, cuando era profesor de ciencias de la comunicación en la universidad. Desde que se marchó no lo había vuelto a ver. Pensé que sería maravilloso encontrarme y conversar de nuevo con él.

Me detuve en una **pulpería**[117] de paredes de **adobe**[118] y tejas rojas para llamar a Manuel. El dueño de la tien-

* * * * * *

114 Tal vez: Quizá, acaso.

115 Conclusión: Decisión que se toma sobre un asunto después de pensarlo y analizarlo.

116 Inspirar: Hacer nacer o provocar un sentimiento; en el texto, un sentimiento de confianza.

117 Pulpería: Esta palabra, derivada de *pulpo,* se usa en muchos lugares de América para referirse a un 'local en el que se reúnen las personas'. En algunas zonas rurales las *pulperías* también son tiendas en las que se venden desde comestibles y bebidas hasta artículos de limpieza.

118 Adobe: Bloque de barro trabajado en forma de ladrillo y secado al sol, que se usa en la construcción de muros y paredes en las casas rurales de algunos lugares.

da era un ***tico***[119] hospitalario y educado. No sólo me ofreció utilizar su teléfono particular, sino que también me invitó a cenar parte de la **olla de carne**[120] que había preparado su mujer. No pude rechazar su **suculenta**[121] oferta.

Después de cenar y de citarme con Manuel Pardo para la mañana siguiente, me despedí de aquella familia agradecido y **reconfortado**[122], y proseguí mi camino.

* * *

Cuando llegué al hotel, el recepcionista me dijo que una señorita había preguntado por mí.

—¿Ya se ha marchado? —le pregunté al recepcionista.

—No, señor —respondió **solícito**[123]—. Aún sigue aquí. Lleva aproximadamente media hora esperándole sentada en el bar. Venga conmigo, por favor. Le acompañaré hasta ella.

* * * * * *

119 ***Tico:*** Nombre coloquial con el que se conoce a los costarricenses. La palabra *tico* procede de la costumbre que tienen los naturales de Costa Rica de utilizar el sufijo *-tico,* en lugar de *-tito,* para los diminutivos. Por ejemplo, dicen *chiquitico* (diminutivo de *chico,* 'pequeño') en lugar de *chiquitito.* Este sufijo *–tico* se utiliza también en algunas zonas de España y en otros países de Latinoamérica.

120 **Olla de carne:** Plato de Costa Rica que tiene verduras, carne y caldo. Se sirve con arroz y generalmente se come a la hora de cenar.

121 **Suculento/-a:** Se dice de la comida está muy buena, muy bien cocinada y que alimenta mucho.

122 **Reconfortado/-a:** Se dice de una persona que ha recuperado el confort, es decir, el vigor, el espíritu y la fuerza, y experimenta una sensación de descanso y bienestar. Esta palabra es el participio del verbo *reconfortar.*

123 **Solícito/-a:** Amable, que ofrece su ayuda a los demás.

La **tenue**[124] luz del bar del hotel daba la impresión de que el lugar era más íntimo y agradable de lo que en realidad era, a pesar del lujo. El sonido de una lejana trompeta de jazz también favorecía a crear esa sensación.

Una mujer con un vestido floreado y tres hombres sentados a la **barra**[125] consumían silenciosos sus bebidas. Frente a ellos, el camarero limpiaba algunos vasos. Sólo una de las mesas estaba ocupada por una mujer que leía un libro. A su lado tenía una copa medio vacía. El recepcionista señaló hacia ella.

—Ésa es la señorita que quería verlo, señor Cortés —dijo sonriente—. No me ha dicho su nombre. Sólo me ha dicho que esperaría sentada en el bar hasta que usted llegara.

—Muy amable. Tenga —dije, y le entregué algunos **colones**[126] de **propina**[127].

Me acerqué a ella. Al verme, cerró el libro y se puso en pie. Era una mujer delgada y alta, de unos treinta años. Vestía de manera informal, con unos pantalones tejanos y una blusa azul de manga larga y cuello en forma de V. Tenía el cabello negro y corto; los ojos, vivos dentro de su redonda cara; la **barbilla**[128], puntiaguda y la boca, pequeña. No llevaba maquillaje. Y no le hacía ninguna falta.

* * * * * *

124 Tenue: Que es débil, suave, delicado.

125 Barra: Mesa alargada o mostrador en el que se sirven bebidas y comidas en bares, cafeterías, etc.

126 Colón: Moneda de Costa Rica. Su nombre procede de la reforma monetaria que terminó en 1896, el mismo año en que se celebraba el IV Centenario del Descubrimiento de América llevado a cabo por el navegante Cristóbal Colón.

127 Propina: Cantidad de dinero que se da, además del precio convenido cuando se paga en bares, restaurantes, taxis, etc., como muestra de que se ha quedado satisfecho por el servicio o el trato recibido.

128 Barbilla: Parte de la cara que está debajo de la boca.

—Hola. Soy Laura Mínguez —se presentó.

Cuanto más la miraba, más me parecía haber visto a aquella bella mujer en otro sitio. Mi cabeza, no obstante, se negaba a recordar en qué lugar podría haberla conocido. Estaba demasiado cansado para pensar.

—Encantado de conocerla —dije, y estreché su mano. Tenía los dedos delgados y tan largos como los de una pianista—. Sergio Cortés, el nuevo...

—El nuevo conservador del museo de Espinosa. Lo sé —me interrumpió Laura—. También sé que esta tarde estuvo usted en su casa. Yo también estaba allí.

"Tal vez fue en la fiesta donde la vi", pensé. No estaba seguro.

—No recuerdo haberla visto. Aunque es normal. Había mucha gente allí. Y no me refiero sólo dentro de la casa —dije, tratando de parecer simpático.

—Supongo que lo dice porque en la entrada se encontró con la manifestación ecologista —respondió. Su **semblante**[129] estaba serio.

—Sería difícil no haber visto ni oído a todas esas personas: eran bastantes y **armaban mucho ruido**[130] —añadí sonriente.

—Fui yo quien organizó esa manifestación pacífica —contestó Laura. Había algo de amargura en sus palabras—. Lamentablemente, no sirvió para que Espinosa escuchara nuestras propuestas...

Metí la pata[131] por tratar de ser gracioso. Deduje que ella debía de ser la persona que acompañaba al alcalde.

* * * * * *

129 **Semblante:** Cara o rostro de una persona. Esta palabra se usa para referirse en particular a la representación de algún estado de ánimo (tristeza, alegría, etc.) en el rostro.

130 **Armar mucho ruido:** Hacer mucho ruido, causar alboroto.

131 **Meter la pata:** Expresión que tiene el significado de 'hacer o decir algo equivocado o que no es oportuno'.

La persona con la que no quiso entrevistarse Espinosa. Como peor no podía irme, decidí continuar siendo gracioso.

—Así que es usted ecologista... Bueno, aunque es poco, ya sé algo más sobre usted. Aún me lleva **ventaja**[132]... —dije.

Esta vez funcionó. Laura, por primera vez en toda la entrevista, me sonrió. Ya era algo.

—Disculpe... —dijo Laura haciendo un gesto con la mano—. Trabajo en el Ayuntamiento y estoy al frente del **bloque**[133] ecologista de San José. Actualmente, nuestra formación política gobierna en la ciudad junto con el partido del alcalde Raúl Izquierdo...

—Debe de ser **gratificante**[134] ser ecologista en un paraíso verde como éste[135] —comenté, animándola a hablar.

—Aún hay mucho por hacer —respondió Laura—. Costa Rica ocupa el primer lugar del continente americano en cuanto al avance de la **deforestación**[136]. Hace cincuenta años, tres cuartas partes del territorio estaban cubiertas por **selvas vírgenes**[137]. Ahora, apenas lo

* * * * * *

132 Ventaja: Superioridad de una persona o cosa con respecto a otra. En el texto, Sergio le dice a Laura que ella le lleva *ventaja* porque sabe más cosas sobre él que Sergio sobre ella.

133 Bloque: Partido o formación política; en particular, conjunto o asociación de varios grupos o partidos políticos.

134 Gratificante: Que produce gusto o placer, que paga o da un premio por un trabajo o servicio.

135 Costa Rica cuenta con una gran diversidad de especies animales y vegetales, a pesar de lo reducido de su territorio. Existen más de 6.000 especies vegetales, entre ellas, 1.200 tipos de orquídeas y 1.400 especies de árboles.

136 Deforestación: Estado de un terreno o de una superficie de la que se han eliminado las plantas y los árboles.

137 Selva virgen: Terreno extenso poblado de árboles que no ha sido arado o cultivado.

está un tercio. Y eso ocurre a pesar del ambicioso **plan de protección ecológica**[138] que tenemos... —hablaba sin gesticular, muy segura de sí misma. Sin tratar de convencerme de nada. Precisamente por eso, sus palabras eran tan convincentes.

—Entiendo que la construcción de la autopista pondría en peligro ese ambicioso plan —insinué. Quería **tirarle de la lengua**[139].

—No sólo ese plan —respondió Laura—. La nueva autopista también amenaza la supervivencia del grupo indígena de los **huetares**[140]...

* * * * * *

138 Plan de protección ecológica: En 1960, el gobierno de Costa Rica creó un plan para proteger la naturaleza y el medio ambiente del país. A partir de entonces, el 12% de la superficie fue declarada Parque Nacional y casi el 27% pasó a ser territorio protegido.

139 Tirar a alguien de la lengua: Expresión coloquial que significa 'hacer que una persona cuente cosas que, en principio, no quiere contar'. Por ejemplo: *Tiré de la lengua al pintor para que me contara de qué tenía miedo.*

140 Huetar: Persona que pertenece al grupo indígena costarricense que vive en dos zonas situadas en el área de Puriscal, cerca de San José. Los *huetares* fabrican obras a mano que venden en algunas ferias del país. Actualmente, todavía existen veintiún lugares en el territorio de Costa Rica donde viven estos indígenas.

Mientras la escuchaba embelesado, pensé que no me importaría que siguiera hablando toda una noche de los huetares o de lo que fuera... Un hombre como yo podría aprender mucho de sus palabras.

—Dos autopistas son más que suficientes[141] —decía en esos momentos Laura—. San José está perfectamente comunicada. Eso es lo que tratamos de hacer entender a los que quieren construir otra autopista: que no hace ninguna falta. Aunque es como hablarle a una pared. Ellos tan sólo entienden de **porcentajes**[142] y de dinero...

Podría estar escuchándola toda una noche, pero no aquella noche. Aquella noche estaba tremendamente cansado. Así que cuando Laura terminó su explicación, decidí **poner las cartas sobre la mesa**[143] y averiguar cuál era el verdadero motivo que la había traído hasta allí.

—No querría parecer **descortés**[144] —empecé a decir en cuanto ella calló—, pero creo que no ha venido hasta aquí sólo para hablarme de ecología ni de los indígenas... ¿Qué la ha traído hasta aquí, señorita Laura Mínguez?

—Tiene usted razón... Vine..., vine aquí por mi padre... —dijo. Bajó los ojos y me pareció que **se rubori-**

* * * * * *

141 Existen dos autopistas o carreteras que unen la ciudad de San José con el aeropuerto y con Ciudad Colón. También hay dos carreteras principales más que atraviesan San José: la carretera Panamericana, que va de Nicaragua a Panamá, pasando por el valle Central, y la ruta que une el océano Pacífico con el mar Caribe.

142 Porcentaje: Tanto por ciento. Por ejemplo: *Un alto porcentaje de alumnos, el 70%, ha suspendido el examen.*

143 Poner las cartas sobre la mesa: Expresión que significa 'poner de manifiesto un propósito, una intención de hacer algo o una opinión que estaba oculta'.

144 Descortés: Que no muestra respeto ni amabilidad con los demás.

zaba[145]—. De la misma manera que sé que usted visitó la mansión de Espinosa esta tarde, sé también que estuvo hablando con mi padre, el pintor Rafael Mínguez.

—¿Se lo ha explicado su padre? —pregunté.

—No. No fue él —respondió Laura.

—¡Vaya, entonces veo que aquí **las noticias vuelan**[146]! —exclamé— Sí. Es cierto. Hablé con su padre esta tarde —asentí y esperé a que ella tomara de nuevo la palabra.

—Yo... Verá —continuó diciendo Laura—, es difícil de explicar. Mi padre y yo nos **hemos distanciado**[147] últimamente... A pesar de eso, yo sigo interesándome por él... Y ahora más que nunca. Es un hombre frágil y su comportamiento me tiene preocupada...

—¿Por qué? —pregunté.

—No lo sé. Pero le conozco lo suficiente como para saber que algo le pasa. Hace cosas raras. Las últimas veces que lo he visto estaba nervioso y... —se interrumpió—. Temo que se haya metido en algún lío...

—Y ha venido hasta aquí para saber si su padre me ha contado algo... ¿Es eso?—insinué.

—Así es. Un amigo me dio su dirección y... Aquí estoy —dijo al tiempo que echaba hacia atrás su espalda. Ahora que me había explicado el motivo de su visita y se había liberado de ese peso, parecía más tranquila y **desahogada**[148].

* * * * * *

145 **Ruborizarse:** Ponerse la cara de una persona de color rojo a causa de la vergüenza.

146 **Las noticias vuelan:** Esta expresión significa que 'un hecho o información se conoce con mucha rapidez'.

147 **Distanciarse:** Rechazar el trato amistoso o la intimidad que se tenía con otra persona.

148 **Desahogado/-a:** Se dice de la persona que siente alivio y bienestar después de expresar un sentimiento o una queja que le causaba preocupación.

—Lo que no entiendo es por qué su padre tendría que haberme explicado algo, precisamente a mí —dije.

—Porque parece que **confía**[149] en usted —respondió Laura decididamente. Ahora volvía a mirarme con sus grandes ojos. Supe que no mentía. Sólo estaba preocupada. Muy preocupada.

—¿Su padre le ha dicho que confiaba en mí? —pregunté.

—No con esas palabras... —contestó.

—Me temo que no sé mucho más que usted —le dije, tratando de parecer muy sereno. No quería preocupar más a Laura—. Cuando hablé con su padre me pareció que, como usted ha dicho, estaba nervioso. Nada más. **Disertó**[150] animadamente sobre pintura y casi no hubo tiempo para más. Tampoco me explicó si le preocupaba algo. Mire —añadí—, su padre me ha citado en su casa mañana por la tarde. Si entonces me cuenta algo que crea importante o que pueda preocuparla, no dude en que se lo haré saber...

—¿Lo hará? —me preguntó.

—Puede estar segura de ello —afirmé mientras me levantaba de la silla.

Antes de despedirse, Laura me dio sus dos direcciones, la de su oficina en el Ayuntamiento y la de su casa, y sus dos teléfonos. Guardé el papel en la cartera y me encaminé hacia la habitación.

Mientras subía las escaleras recordé el miedo reflejado en los ojos del pintor Rafael Mínguez. Entonces me pregunté si hice bien en decirle a Laura que no se preocupara por su padre... Yo sí lo estaba.

* * *

* * * * * *

149 Confiar: Tener esperanza en una persona o cosa.

150 Disertar: Esta palabra, de carácter culto, se usa para referirse a la exposición de un conferenciante o al razonamiento, más bien extenso, de alguien sobre una materia en una reunión.

1 **Vamos a ver si has entendido bien los cuatro primeros capítulos que acabas de leer y si recuerdas algunos de sus detalles. Señala si estas frases son verdaderas (☺) o falsas (☹).**

1 Alonso de Espinosa, magnate costarricense del café, ha contratado a Sergio Cortés para que trabaje en su nuevo museo. ☺ ☹

2 En la entrada de la mansión de Espinosa unos manifestantes ecologistas protestan por la construcción del nuevo museo. ☺ ☹

3 Espinosa se sorprende al saber que es la primera vez que Sergio Cortés trabaja como conservador de un museo. ☺ ☹

4 Espinosa se entrevista tanto con el alcalde, Raúl Izquierdo, como con la representante de los ecologistas, Laura Mínguez. ☺ ☹

5 Muy amablemente, Zano presenta a Sergio Cortés a la condesa Lula y al pintor Rafael Mínguez. ☺ ☹

6 La condesa Lula es la encargada de preparar la ceremonia de inauguración del nuevo museo. ☺ ☹

7 Sergio Cortés queda totalmente fascinado ante el retrato de Elisa por su fría y enigmática belleza. ☺ ☹

8 El célebre pintor Rafael Mínguez está asustado, pero no puede contar a Sergio Cortés nada de lo que sabe porque lo vigilan. ☺ ☹

9 De camino al hotel, Sergio Cortés llama a su antiguo amigo, el periodista Manuel Pardo. No logra encontrarlo porque ya no trabaja en San José. ☺ ☹

10 Laura Mínguez, líder del bloque ecologista e hija del pintor, teme que su padre se haya metido en algún lío y va a hablar con Sergio Cortés. ☺ ☹

2 **Sustituye las palabras subrayadas del texto por otras que signifiquen lo contrario (antónimos). Tienes un listado, pero ten en cuenta que no todas las palabras que aparecen en él son válidas.**

cálido • resaltado • detrás • claro
grande • velludo • alto • liso • negro
hambriento • feo • translúcido • rugoso

A Sergio Cortés le llamó enseguida la atención el pequeño (_______________) retrato de una mujer. Era muy bella (_______________), también fría y enigmática. El pintor había difuminado (_______________) sus rasgos. Sus ojos y cabellos muy oscuros (_______________) contrastaban con su cara, blanca (_______________) y suave (_______________). Sergio Cortés estaba delante (_______________) del retrato de Elisa.

3 **Si quieres saber más cosas sobre el café de Costa Rica, completa las oraciones que siguen con el verbo que aparece entre paréntesis. Para ello, deberás conjugarlo en el tiempo que corresponda en cada caso.**

El café y el turismo (ser) _______________ las principales fuentes de riqueza de la economía de Costa Rica. Por su calidad, el café costarricense (estar) _______________ considerado como uno de los mejores del mundo. Las principales plantaciones cafetaleras están situadas en el Valle Central y en el Valle de Turrialba. La recogida del café, lo que los costarricenses (llamar) _______________ "granos de oro", dura desde octubre hasta enero en el Valle Central, y desde marzo a noviembre en el Valle de Turrialba. Los habitantes de la zona y los estudiantes (participar) _______________ en la recogida del grano. El café es originario de Abisinia y (ser) _______________ introducido en Costa Rica hacia el año 1810.

4 **En la columna A tienes el nombre y la ocupación de algunos de los personajes de la novela, y en la columna B tienes sus descripciones. Únelos adecuadamente.**

A

1 Sergio Cortés: profesor y detective.

2 Alonso de Espinosa: magnate del café y propietario de la empresa Cafés Espinosa.

3 Condesa Lula: encargada de la ceremonia de inauguración del museo.

4 Rafael Mínguez: célebre pintor costarricense.

5 Ricardo Zamora, Zano: trabaja para Espinosa.

6 Laura Mínguez: líder del bloque ecologista de San José.

B

a Tiene los labios nerviosos, los dedos llenos de anillos y huele a almizcle. Es una mujer madura y lista, de ojos y piel grises.

b Su mandíbula es cuadrada y su nariz, chata. Tiene la piel tostada por el sol y aspecto de púgil.

c Viste de negro. Tiene el pelo largo y canoso, la cara chupada y los ojos melancólicos. Es alto y frágil.

d Su cabello es negro y corto, y su boca, pequeña. No usa maquillaje. Viste de manera informal. Es alta y delgada. Tiene unos 30 años.

e Va elegantemente vestido. Tiene el pelo y el bigote negros. Es de mediana estatura. Usa bastón y gafas oscuras.

f Tiene la cara ancha, la frente despejada y los ojos almendrados. Es alto y atractivo.

5 **Lee estas frases y elige la forma verbal adecuada en cada caso.**

1 Los alumnos de Sergio **parecían** / **parecía** que habían aprovechado el curso sobre los poetas de la Generación del 27.

2 Sergio **estuvo** / **estaba** leyendo un poema de Jorge Guillén titulado *Los amigos* cuando **sonó** / **había sonado** el teléfono.

3 Dos semanas atrás, Sergio Cortés **había recibido** / **recibiría** una oferta de trabajo como conservador del nuevo museo de San José.

4 El profesor aceptó la oferta siguiendo su instinto. Igual que una brújula siempre había **señalado** / **señala** el norte, su instinto siempre había **apuntado** /**apunta** hacia el peligro y la aventura.

5 El taxista indio le dice a Sergio que lo malo de los viajes es que uno **sabe** / **supo** cómo empiezan, pero no cómo acaban.

Parte 2
Rojo

Capítulo 5

Ver, entender y explicar

Dormí poco y mal la primera noche. **Me levanté con el sol**[151] y, mientras me afeitaba, recordé que había tenido una pesadilla digna de un antiguo emperador chino. Soñé que el retrato de Elisa estaba colgado en mi habitación. Ella **cobraba vida**[152] y salía del cuadro para pedirme ayuda. De pronto, aparecía Alonso de

* * * * * *

151 **Levantarse con el sol:** Esta expresión tiene el significado de 'levantarse cuando sale el sol, cuando amanece'. A este respecto, conviene saber que en Costa Rica, por su situación geográfica, durante casi todo el año amanece alrededor de las 6.00 de la mañana y se hace de noche hacia las 18.00, por la tarde.

152 **Cobrar vida:** Expresión que significa que 'algo que es inanimado o que no tiene vida se convierte en animado o con vida'.

Espinosa, acompañaba a la mujer de nuevo al cuadro y ocultaba el retrato en otra habitación.

Después de vestirme, salí del hotel y fui en busca de mi coche. Enseguida me di cuenta de que un **sedán**[153] negro me seguía. A pesar de la distancia, creí reconocer a la persona que lo conducía. Zano era muy bueno en las apuestas, pero no muy **diestro**[154] en las persecuciones. Aceleré.

Tomé la **séptima avenida**[155] y giré a la izquierda en la calle quinta. La distancia entre nosotros aumentó, por lo que traté de despistarlo **a la altura del**[156] **parque Morazán**[157]. El tráfico allí era denso y fue más fácil de lo que esperaba.

Dejé el coche y atravesé a pie la siempre animada **Plaza de la Cultura**[158], situada justo al lado del **Teatro Nacional**[159]. Vestido con una camisa a cuadros impeca-

* * * * * *

153 **Sedán:** Tipo de automóvil que tiene la cubierta fija y que normalmente tiene dos asientos.

154 **Diestro/-a:** Que es hábil, que tiene facilidad para realizar alguna cosa.

155 **Séptima avenida:** La ciudad de San José está dividida en calles y avenidas que no tienen nombre, tan sólo número de orden. Las avenidas están orientadas de este a oeste y las calles, de norte a sur.

156 **A la altura del:** Esta expresión adverbial significa que algo 'está situado al mismo nivel o muy próximo a otra cosa'.

157 **Parque Morazán:** Conocido parque de San José que está dividido en cuatro partes. Está dedicado al político y militar del siglo XIX Francisco Morazán.

158 **Plaza de la Cultura:** Moderna y popular plaza, lugar de reunión de los jóvenes costarricenses, que está situada entre las calles tercera y quinta de la ciudad de San José. Allí también se reúnen músicos, bailarines, mimos, artesanos, etc.

159 **Teatro Nacional:** Edificio de estilo renacentista construido en 1894. El teatro está considerado como uno de los edificios más bellos de Costa Rica y fue declarado Monumento Nacional en 1965.

blemente planchada, con la misma barba rojiza y el mismo pelo castaño, el periodista Manuel Pardo hacía **apenas**[160] dos minutos que me esperaba sentado en el *Café Parisienne.*

En poco más de media hora, los dos nos explicamos qué **había sido**[161] de nuestra vida en esos cuatro años que habíamos pasado sin vernos. Ese breve resumen más las cosas que me contó a continuación me demostraron que Manuel Pardo seguía siendo el hombre inteligente, inquieto y **afable**[162] que yo había conocido en San Diego.

—Espinosa es un hombre fascinante y **repulsivo**[163] a la vez —empezó a decir Manuel Pardo, después de que yo le explicara por qué estaba allí y para quién trabajaba—. Supongo que ya sabrás que es el heredero de una dinastía de ricos cafetaleros costarricenses.

—Sí. Me lo explicó con orgullo él mismo —dije.

—Por lo que sé —continuó Manuel—, la historia de su familia **no tiene desperdicio**[164]. Su abuelo, por

* * * * * *

160 Apenas: Este adverbio tiene distintos valores y usos. En el texto indica cantidad y tiene el significado de 'escasamente, sólo', pero también puede utilizarse en sentido negativo con el significado de 'casi no, difícilmente' *(En la oscuridad, apenas nos vemos la cara),* o para indicar un periodo de tiempo o un momento determinado con el sentido de 'en cuanto' *(Apenas salí a la calle, empezó a llover).*

161 Ser: En este contexto, el verbo *ser* tiene el significado de 'suceder, ocurrir, tener lugar'. Por ejemplo: *¿Cómo fue el accidente? Sergio y Manuel hablaron sobre todo lo que les había sucedido (qué había sido de su vida) en los últimos años.* También se usa con un sentido parecido al de 'celebrar o hacer'. Por ejemplo: *¿Dónde es la reunión? La conferencia es en la sala de actos.*

162 Afable: Se dice de la persona que es agradable en el trato.

163 Repulsivo/-a: Que produce rechazo, asco o indignación.

164 No tener desperdicio: Expresión que significa que algo 'es muy útil, que tiene mucho provecho'.

ejemplo, participó en la corta pero sangrienta insurrección militar del general **Federico Tinoco Granados**[165]. Su padre, Julián de Espinosa, llegó mucho más lejos. Un año y medio después de conseguir la presidencia de la República al frente del Partido Nacional Costarricense, tuvo que abandonar el cargo acusado de **despilfarro**[166] y corrupción en el **manejo**[167] de fondos públicos.

—¡Fiuuu! —silbé.

—Sí —asintió mi amigo, y puso las manos encima de la mesa—. El **tipo**[168] para el que trabajas ha continuado con el negocio familiar, la empresa *Cafés Espinosa*. También está **afiliado**[169] al mismo partido que su padre. Pero, a diferencia de éste, Alonso de Espinosa ha estado siempre a la sombra. Hasta ahora aparecía **asiduamente**[170] en las fotografías oficiales, aunque siempre en un segundo plano. Como sus ojos tras las gafas oscuras —dijo el periodista.

—¿Por qué has dicho *hasta ahora,* Manuel? —pregunté.

* * * * * *

165 Federico Tinoco Granados: (San José, 1870-París, 1931) Político y ministro de la guerra costarricense que dirigió un golpe de Estado en 1917. Estableció un régimen dictatorial conocido como *tinoquismo* (1917-1919), en el cual los militares compartieron el poder con la recién surgida oligarquía cafetalera. Una revuelta popular en 1919 lo obligó a dejar el poder.

166 Despilfarro: Hecho de gastar más de lo necesario de una cosa o de utilizarla mal.

167 Manejo: Manera de dirigir un negocio o una empresa; en este contexto, se trata de la manera de gastar el dinero público.

168 Tipo: Esta palabra se utiliza en sentido despectivo para referirse a un individuo, a un hombre.

169 Afiliado/-a: Que pertenece a una asociación, a un partido político, etc.

170 Asiduamente: Con frecuencia; habitualmente.

—Porque parece que Espinosa finalmente se ha decidido a salir de la sombra. Se ha decidido a quitarse por fin las gafas o la **careta**[171] —respondió Manuel, complacido con la comparación que había encontrado. Al ver que no le entendía, añadió—. El mes pasado Espinosa se presentó como **candidato**[172] oficial de su partido, que ha gobernado durante los últimos cuatro años en Costa Rica, para las próximas elecciones generales.

—Así que finalmente Espinosa se ha decidido a pescar... —dije pensativo.

—¿A qué te refieres? —preguntó sorprendido.

—¡Ah! Perdona —me disculpé—. Estaba pensando en una fotografía que vi en el despacho de Espinosa. Alguien que me pareció su padre estaba pescando en un río. Espinosa era el muchacho que estaba detrás de él, y parecía como si no se atreviera a pescar... Nada, una tontería. Sigue, por favor —le pedí.

—Como te decía, Espinosa ha decidido por fin presentarse a las elecciones que se celebran dentro de unos meses... —continuó Manuel—. Aunque lo tiene tremendamente difícil, si no imposible, para ganar. Y

* * * * * *

171 Careta: Máscara que se utiliza para cubrir la cara o para protegerla.

172 Candidato/-a: Persona que aspira o que ha sido propuesta para algún trabajo o cargo.

es que el actual alcalde de San José también se presenta a esas mismas elecciones y le aventaja claramente en las **encuestas de voto**[173].

—¿Supongo que te refieres Raúl Izquierdo? —pregunté: ya empezaba a **atar algunos cabos**[174].

—Sí —dijo Manuel, y ahora le brillaban los ojos—. El alcalde Raúl Izquierdo se ha unido al bloque ecologista. Juntos han formado un nuevo partido llamado Acción Verde.

—Y ahí es donde entra Laura Mínguez, líder de los ecologistas —dije.

—Veo que estás bien informado —dijo Manuel. Sus ojos volvían a demostrar sorpresa—. Mira. No te hablaré de las ilusiones que despierta ese nuevo partido entre los ticos. Tan sólo te diré que algunos periodistas, yo entre ellos, hemos creado una **plataforma**[175] de apoyo a esa formación política.

—Y, naturalmente, entiendo que tanto Izquierdo como los ecologistas se oponen a la construcción de la nueva autopista... —le interrumpí, sabiendo que en mi cabeza **había encajado**[176] otra pieza del **puzle**[177]. La ló-

* * * * * *

173 **Encuesta de voto:** Una *encuesta* es el conjunto de datos que se obtienen después de consultar a un número determinado de personas sobre un asunto. En una *encuesta de voto* se pregunta a las personas sobre el partido político al que votan.

174 **Atar algunos cabos:** Expresión que significa 'reunir o tener en cuenta datos o informaciones que se tienen para obtener una consecuencia'.

175 **Plataforma:** Conjunto de personas que tienen unos intereses comunes.

176 **Encajar:** Unir una cosa con otra de manera que las dos queden ajustadas.

177 **Puzle:** Juego que consiste en encajar unas piezas con otras para formar una imagen completa. Esta palabra procede del inglés *puzzle;* la palabra española es *rompecabezas.*

gica guió mi siguiente pregunta—. Pero, ¿qué relación hay entre Alonso de Espinosa y la nueva autopista?

—Una relación muy estrecha, Sergio —contestó el periodista—. Resulta que, aparte del negocio del café, Espinosa **tiene en sus manos**[178] el cincuenta por ciento de las **contratas**[179] públicas y privadas del Estado...

—¿Estás tratando de decirme que la autopista la construye el propio Espinosa? —exclamé verdaderamente asombrado.

—No directamente, pero así es... —dijo con resignación Manuel Pardo—. Espinosa es listo y también en esto **tiene las espaldas bien cubiertas**[180]. Nunca se podría demostrar que él está detrás de las empresas que quieren construirla. Ni que ganará con ello una fortuna... No se puede demostrar. Sin embargo, los ecologistas lo saben. El alcalde lo sabe... Y van a impedirlo. Mira, Sergio, aunque Espinosa no se canse de decir que su patrimonio es fruto de la herencia familiar y no de actos **ilícitos**[181], todo el mundo sabe que parte de sus ingresos se los debe a los fondos estatales... Y al **blanqueo de dinero**[182]...

* * * * * *

178 **Tener en sus manos:** Expresión que significa 'poseer, tener el control de alguna cosa o persona'.

179 **Contrata:** Contrato que se firma para realizar una obra o para prestar un servicio tanto al gobierno como a una empresa privada por un precio determinado. También se llama *contrata* al documento que asegura ese contrato.

180 **Tener las espaldas (bien) cubiertas:** También se dice *tener las espaldas (bien) guardadas* y significa 'estar protegido de los enemigos'. Se usa mucho cuando se quiere decir, como en el texto, que se tiene una buena justificación para responder de algo que se tiene o se hace.

181 **Ilícito/-a:** Que no está permitido por la ley ni por la moral.

182 **Blanqueo de dinero:** Acto por el cual se hace legal el dinero procedente de negocios delictivos.

—Creo que ahora te estás refiriendo también al museo, ¿verdad? —pregunté. Tan sólo era una **intuición**[183].

—Efectivamente —asintió—. Espinosa trata de **hacerse pasar por**[184] un honrado ciudadano que incluso ha construido un museo "**por el bien de**[185] los ciudadanos", como él dice. Si bien, todo el mundo sabe que invertir en obras artísticas es muy rentable... Él **no tiene ni idea**[186] de arte, Sergio, para eso tiene al pintor Rafael Mínguez, que es quien le **asesora**[187]. Y por eso creo que te ha contratado también a ti. Espinosa sólo sabe una cosa, pero la sabe muy bien: arte es igual a beneficios y a dinero limpio asegurados —resumió Manuel.

—Sus herederos deben de estar **frotándose las manos**[188] —dije.

—Alonso de Espinosa no tiene hijos, Sergio. Por no tener, no tiene ni mujer —respondió mi amigo.

—Vaya —murmuré.

—Tú lo has podido ver en el tiempo que llevas aquí —continuó Manuel, levantando los ojos hacia mí—. Éste es un país privilegiado. **Sin ejército**[189].

* * * * * *

183 **Intuición:** Percepción clara e inmediata de una idea o situación, sin necesidad de razonamiento lógico.

184 **Hacerse pasar por:** Esta expresión significa 'alguien simula o aparenta ser algo que no es'.

185 **Por el bien de:** Esta expresión significa 'para que sea útil o beneficioso a alguien'.

186 **No tener ni idea:** Expresión coloquial usada para expresar de manera tajante que 'no se sabe nada sobre algo'.

187 **Asesorar:** Dar consejos a alguien sobre algún tema.

188 **Frotarse las manos:** Expresión que significa 'manifestar gran satisfacción por algo que se tiene o que se espera tener'.

189 **Sin ejército:** En Costa Rica se suprimió el ejército en 1948, el mismo año en que se aprobó la Constitución. En 1985 se estableció que, a partir de ese momento, el país no intervendría en ninguna guerra.

Con una riqueza natural envidiable. Democrático...

—Sí, lo he visto. Y entiendo que quieres que siga siendo así —dije sin dejarle continuar—. Entonces, ¿por qué no **denunciáis**[190] a Espinosa? Tú eres periodista y con tus artículos...

—Amigo Sergio —me interrumpió Manuel, y creí que sonreía con cierta amargura—, ya sabes que abandoné las clases en la universidad porque no aguantaba más dentro de las cuatro paredes de mi despacho. Sentía la necesidad de ser periodista, de lanzarme de nuevo a la calle. Porque ser periodista es para mí una necesidad: la necesidad de ver las cosas, entenderlas y luego, explicarlas. Pero para eso se necesitan hechos, pruebas...

Al calor de la amistad, **el tiempo pasa volando**[191]. Cuando Manuel Pardo se despidió, pues tenía que regresar urgentemente a su trabajo, aún me quedaban muchas preguntas por hacerle.

Lo vi alejarse y pensé que ser detective también era para mí una necesidad. Y que, como Manuel, yo también necesitaba hechos, pruebas. El miedo del pintor Rafael Mínguez era un hecho; quizá él mismo también pudiera darme pruebas.

Aunque esas pruebas tendrían que esperar. No me habían contratado como detective, sino como conservador de un museo. Y aún tenía que visitarlo.

* * * * * *

190 Denunciar: Expresar públicamente algo que está mal. Por ejemplo: *Un periodista ha denunciado al político en televisión.*

191 El tiempo pasa volando: Esta expresión se utiliza cuando se quiere indicar que ha transcurrido muy deprisa un periodo de tiempo, tan deprisa como un pájaro que vuela.

Capítulo 6

El Nuevo Museo de Arte Costarricense

Abandoné la terraza del *Café Parisienne* y atravesé la plaza, **sorteando**[192] a los vendedores de **hamacas**[193] y a las inquietas **palomas**[194]... En una esquina de la plaza, me llamó la atención un anuncio publicitario. En él aparecía la fotografía de una mujer que se llevaba una taza a la boca. Debajo de la fotografía se podía leer: "Cafés Espinosa. Oro negro".

Al llegar donde tenía aparcado el coche, vi que las cuatro ruedas estaban **pinchadas**[195]. Sin duda **había subestimado**[196] a Zano. No era tan fácil librarse de él ni despistarlo. Aquello era una clara **advertencia**[197]: "Sergio Cortés, te estás metiendo donde no debes", decía.

Como la agencia de alquiler de coches tardaría en proporcionarme otro, detuve a un taxi rojo y pedí al taxista que me llevara al museo.

* * * * * *

192 **Sortear:** Evitar a alguien o algo con habilidad.

193 **Hamaca:** Asiento que se utiliza para descansar, tomar el sol, etc., con un respaldo que se puede poner hacia atrás y con una extensión delantera para apoyar las piernas.

194 **Paloma:** Ave de cuerpo corto y grueso, silvestre o doméstica, que vuela muy rápido y que se puede utilizar para enviar mensajes. La *paloma* es también el símbolo de la paz.

195 **Pinchado/-a:** Que ha sido penetrado con algo agudo o afilado. Esta palabra es el participio del verbo *pinchar.*

196 **Subestimar:** Juzgar o considerar a una persona o a una cosa por debajo del valor que tiene en realidad.

197 **Advertencia:** Aviso que se hace mediante una amenaza.

En el extremo oeste del Paseo Colón, allí donde la calle cuarenta y dos se une con la esquina del **Parque Metropolitano La Sabana**[198], se hallaba el Nuevo Museo de Arte Costarricense.

El edificio, de tres **plantas**[199], era magnífico. Se trataba de una estructura de estilo neocolonial parecida a un castillo. Como supe por boca de la condesa Lula, Espinosa lo construyó tras comprar la vieja **terminal**[200] internacional del aeropuerto.

Entramos. La condesa me mostró la primera planta. Allí se encontraban las pinturas y esculturas de artistas de la segunda mitad del siglo XX. Una de las salas estaba íntegramente dedicada a las obras del pintor Rafael Mínguez.

—Como te iba diciendo, me costó mucho convencer al alcalde Raúl Izquierdo para que asistiera a la inauguración del museo —me contó la condesa y, bajando la voz, añadió—. Aquí, entre nosotros, te diré, querido Sergio, que el alcalde y Espinosa **no se llevan muy bien**[201]... Yo, la verdad, lo del alcalde no lo entiendo. En mi país, a un político que se negara a aparecer en la foto de la inauguración de algo, aunque fuera una piedra mal puesta, lo tratarían de loco... Aun-

* * * * * *

198 Parque Metropolitano La Sabana: Extensa área al noroeste de la ciudad de San José. Ocupa el lugar en que estaba situado el antiguo Aeropuerto Internacional La Sabana. En él hay bosques, jardines, un lago e instalaciones deportivas.

199 Planta: Cada uno de los pisos de un edificio.

200 Terminal: Edificio al cual llegan y del cual parten algunos medios de transporte, como aviones, trenes y autobuses. Por ejemplo: *Tenemos que estar en la terminal del aeropuerto a las cinco, tres horas antes de que salga nuestro avión.*

201 No llevarse muy bien: Esta expresión significa 'no estar de acuerdo o no tener buenas relaciones con otra persona'.

que, si te he de ser sincera, convencer al alcalde no fue ningún problema. Cuando quiero, puedo ser una mujer *muuuuy* **persuasiva**[202]. Sé cómo utilizar mis encantos... —ahora su cara mostraba **picardía**[203].

La condesa Lula tenía cogido mi brazo. Mientras recorríamos la sala prosiguió su charla:

—Verás, querido. Yo no deseaba que ésta fuera la típica inauguración. Ya sabes. El alcalde corta una cinta y la gente se pone enseguida a **devorar**[204] pasteles y a beber champán como animales hambrientos... Nada de eso. ¡Qué **vulgaridad**[205]! Esas celebraciones me **ponen los pelos de punta**[206]. Igual que estos cuadros del señor Mínguez —añadió, señalando las obras de la etapa abstracta del pintor—. Así que he contratado a un grupo de cinco actores que le darán un poco de vida a la inauguración... Buena idea, ¿verdad, querido?

—Estupenda —dije, intentando parecer ilusionado.

—Esos cinco actores irán **disfrazados**[207] de pies a cabeza —agregó la condesa Lula—. Disfrazados de estatuas, naturalmente. Harán una pequeña actuación y le entre-

* * * * * *

202 Persuasivo/-a: Que tiene fuerza y habilidad para convencer a alguien para que haga o deje de hacer algo.

203 Picardía: Habilidad para engañar o disimulo en decir algo.

204 Devorar: Comer un animal su presa. En el texto significa 'comer y tragar una persona muy deprisa, manifestando que tiene mucha hambre'.

205 Vulgaridad: Acción o comportamiento que no es propio de personas cultas o educadas.

206 Poner los pelos de punta: Expresión coloquial que significa 'producir miedo u otra impresión fuerte'.

207 Disfrazado/-a: Vestirse una persona con un *disfraz,* es decir, con un conjunto de ropas con el fin de no ser conocida por los demás. La gente se suele poner disfraces en las fiestas de los Carnavales. Esta palabra es el participio del verbo *disfrazar.*

garán al alcalde un regalo por cada una de las salas que inaugure. Esta misma tarde he ido a recoger los disfraces... Si quieres, puedo enseñártelos. Son preciosos...

—Mejor continuamos con la visita del museo —sugerí.

La segunda planta estaba dedicada a las obras de artistas de la primera mitad del siglo XX. Ocupaban la sala amplios murales de **Francisco Amighetti**[208], obras de **Paco Zúñiga**[209] y bellas pinturas y dibujos humorísticos de **Max Jiménez**[210].

Al ver el entusiasmo con que contemplaba las obras, la condesa se apresuró a decirme:

—Si esto te gusta, querido Sergio, espera a ver la sorpresa que te tengo reservada. Se llama el *Salón Dorado.* Ven, subamos.

Tenía razón. La mayor de las sorpresas estaba en la tercera planta del museo. El *Salón Dorado* contenía los más bellos **bajorrelieves**[211] que yo había visto en mucho tiempo. Su autor había esculpido en ellos la historia del país, desde sus comienzos hasta la actualidad.

* * * * * *

208 **Francisco Amighetti Ruiz:** (San José, Costa Rica, 1907) Pintor y poeta costarricense. También fue profesor en la universidad de Costa Rica.

209 **Paco Zúñiga:** (San José, Costa Rica, 1912-Tlalpan, México, 1998) Escultor y pintor costarricense. Su obra artística destaca por la mezcla de elementos regionales e internacionales, precolombinos y contemporáneos. En 1936 se trasladó a México. Fue nombrado miembro de la Academia de las Artes de México en 1987 y recibió el premio Nacional de las Artes de México en 1992.

210 **Max Jiménez Huete:** (San José, Costa Rica, 1900-San José, 1947) Pintor, escultor y poeta costarricense. Gran parte de su obra pictórica está bastante influida por las vanguardias europeas, especialmente por el artista español Pablo Picasso.

211 **Bajorrelieve:** Escultura que sobresale poco del fondo. Esta palabra también se puede escribir así: *bajo relieve.*

El resto de la sala lo ocupaban otras no menos bellas esculturas de piedra y madera.

Después de visitar el edificio, nos dedicamos a recorrer los alrededores del museo. La luz del atardecer iluminaba **pálidamente**[212] el laberinto de árboles y los grandes espacios verdes que teníamos ante nosotros. En la lejanía se podía ver el volcán Poás parcialmente cubierto de nubes.

—Mira —dijo entusiasmada—, mira qué jardines. Ni Central Park, ¿verdad? Los fines de semana esto se llena de gente. Aquí al lado tenemos la piscina olímpica, el estadio de fútbol y hasta un pequeño lago para los enamorados —la condesa tenía otra vez esa expresión de picardía reflejada en la cara—. Y hablando de enamorados, ¿qué haces esta noche, querido? Podríamos cenar los dos juntos en algún sitio...

—Lo..., lo siento mucho... —**balbuceé**[213]—. Tendrá que ser otro día. Esta tarde he quedado con el pintor Rafael Mínguez y me espera en su casa...

—¡Ese **dichoso**[214] pintor! —exclamó la condesa Lula—. Es la segunda vez que me dejas abandonada por culpa de ese pintor...

* * * * * *

212 **Pálidamente:** De manera que falta color, o con un color poco vivo o intenso.

213 **Balbucear:** Hablar con dificultad y de forma cortada, como los niños cuando aún están aprendiendo a hablar.

214 **Dichoso/-a:** Que trae consigo *dicha,* es decir, felicidad y alegría. Por ejemplo: *Dichosa virtud; soledad dichosa.* Este adjetivo también puede significar lo contrario, como sucede en el texto, 'que enfada o molesta' en exclamaciones de disgusto y siempre colocado delante del nombre al que se refiere. Por ejemplo: *¡Dichoso despertador, con el sueño que tengo y me tengo que levantar ya!; ¡Dichosas tareas de la casa, siempre hago lo mismo!*

Los de la agencia de alquiler de coches me habían proporcionado uno nuevo. Me esperaba a la puerta del museo. Las llaves estaban puestas en el **contacto**[215]. Desde el interior del coche me despedí de la condesa. Todavía le duraba el enfado, aunque yo sabía que era una buena actriz.

* * *

Capítulo 7

Pintura roja

Eran las siete menos diez de la tarde. La oscuridad se extendía como un árbol sobre la ciudad mojada. Conducía mi nuevo coche por la novena avenida cuando en el interior de las casas se encendían las últimas luces.

Según mi mapa, el edificio en el que vivía el pintor Rafael Mínguez estaba situado al norte de San José, a dos **cuadras**[216] del parque zoológico. Aparqué cerca y me dirigí hacia allí a pie. Pocos metros antes de llegar, **me topé**[217] con un coche que ya conocía.

No había nadie dentro del sedán negro. Una de las puertas estaba abierta. Lo registré.

* * * * * *

215 Contacto: Unión entre dos partes de un circuito eléctrico.

216 Cuadra: Esta palabra pertenece al español de América, y con ella se hace referencia al espacio de una calle que comprende dos esquinas con su conjunto de casas. El mismo significado tiene en España el sustantivo *manzana*.

217 Toparse: Encontrar por casualidad a alguien o algo.

En la **guantera**[218] descubrí una factura de una tienda llamada *Carnaval Tico*. No sabría decir por qué, pero la guardé en mi cartera. Eso fue lo único que encontré.

Llegué al domicilio del pintor. La puerta de entrada estaba **entornada**[219]. El interior, a oscuras y en silencio. Venciendo mi miedo a los espacios oscuros, di un paso a la derecha para encender la luz. De repente, sentí un dolor agudo en mi nuca.

No sé cuánto tiempo permanecí en el suelo.

Aún **aturdido**[220] por el golpe, traté de levantarme. **Di la luz**[221] y todo se balanceó ante mis ojos como un **péndulo**[222]. Los objetos de la habitación bailaban ante mí. Intenté fijar la vista en un punto y olvidar el dolor que quemaba como el hielo mi nuca y la parte izquierda de mi frente.

Cuando todo dejó de moverse, pude verlo. Tendido en el suelo, con el cabello revuelto y las ropas hechas **jirones**[223], estaba el pintor Rafael Mínguez. Le

* * * * * *

218 **Guantera:** Hueco que hay en la parte delantera del interior de los coches y en la que se pueden guardar distintos objetos.

219 **Entornado/-a:** Que se ha quedado a medio cerrar. Esta palabra es el participio del verbo *entornar.*

220 **Aturdido/-a:** Que está confundido, desconcertado.

221 **Dar la luz:** El verbo *dar* se utiliza con el significado de poner en funcionamiento el mecanismo que permite encender la luz, que salga el gas *(dar el gas)*, el agua *(dar el agua)*, etc.

222 **Péndulo:** Cuerpo pesado que se mueve de un lado a otro suspendido de un punto por un hilo o varilla. Por ejemplo: *Se ha roto el reloj de péndulo.*

223 **Jirón:** Aquí significa 'trozo roto de una prenda de vestir,' y se suele usar en plural. Este sustantivo también puede hacer referencia a una parte o porción pequeña de un todo. Por ejemplo: *un jirón de una pared / de una nube.* En el español de Perú puede significar una calle o vía urbana compuesta por varias calles o tramos entre esquinas.

habían propinado[224] una **paliza**[225] y parecía gravemente herido.

Quise reanimarlo y, por un momento, **recobró el conocimiento**[226]. Sus labios se movían. Intentaba decirme algo.

Acerqué mi cabeza a la suya. Antes de que volviera a desmayarse, creí entender algunas palabras **inconexas**[227]: "documentos", "llave", "asesinato", "diario"... También repetía, una y otra vez, el nombre de su hija, "Laura".

Utilicé su teléfono para llamar primero al hospital y luego, a la policía. La habitación olía a humedad y a pintura. El que **había registrado**[228] la casa debía de estar buscando algo importante, porque no había dejado nada en su lugar. Todo estaba **desparramado**[229] por el suelo: cuadros, telas y pinceles destrozados; cajones, estanterías y mesas volcadas; archivos, papeles y notas del pintor arrugados...

* * *

Desde donde estaba sentado vi cómo se llevaban al pintor en una ambulancia. De pie, a mi derecha, se encon-

* * * * * *

224 Propinar: Pegar.

225 Paliza: Conjunto de golpes que se dan a una persona o animal.

226 Recobrar el conocimiento: Recuperar el sentido; volver a ser consciente una persona de lo que la rodea y de sus actos.

227 Inconexo/-a: Que no tiene conexión o no guarda relación entre sus partes o con otra cosa.

228 Registrar: Examinar un lugar o a una persona en busca de algo o de alguien.

229 Desparramado/-a: Se dice de un grupo de objetos que estaban juntos y han sido esparcidos, desordenados o extendidos ampliamente. Esta palabra es el participio del verbo *desparramar*.

traba el **sargento**[230] de policía Coronado. Era un hombre de unos cincuenta años, un poco **cargado de espaldas**[231] y totalmente calvo. Coronado no parecía nada convencido, a pesar de mi detallada explicación de lo sucedido. Se rascó la calva, volvió a ponerse su gorra de policía y **entrecerró**[232] los ojos antes de preguntarme:

—Mmm... ¿Me ha dicho usted, señor Cortés, que sólo habló una vez con... Mmm... Rafael Mínguez?

—Exacto —dije, **armándome de paciencia**[233]—. Hablé con el pintor en casa de Alonso de Espinosa, el mismo día en que llegué. Allí le conocí. Allí hablé con él por primera vez. Y allí nos citamos para vernos hoy.

—Y... Mmm... Se citaron hoy a las ocho... —dijo con calma.

—No, a las siete —le corregí, y le mostré al sargento Coronado la tarjeta que me dio el pintor—. Salí del museo a las siete menos cuarto o a las siete menos veinte. Eso puede **corroborarlo**[234] la condesa Lula Kodorowsky. Calculo que, tras recibir el golpe, pasé cinco o diez minutos inconsciente. Inmediatamente después, llamé primero al hospital y luego a ustedes —dije, haciendo un gesto con la mano hacia los policías que buscaban **huellas**[235] en la habitación.

* * * * * *

230 **Sargento:** Persona que pertenece al ejército o a la policía y que tiene un grado inmediatamente superior al de cabo primero.

231 **Cargado de espaldas:** Expresión que se utiliza para describir a una persona que tiene la espalda muy curvada.

232 **Entrecerrar:** Cerrar a medias.

233 **Armarse de paciencia:** Esta expresión significa ‘acumular paciencia e intentar mantenerse sereno y resistir las inconveniencias o los problemas que surjan’.

234 **Corroborar:** Apoyar una opinión o una teoría con nuevos datos o argumentos.

235 **Huella:** Marca que queda en una superficie después del contacto con la mano, los pies o algo que se arrastra.

—La condesa... Kodorowsky... Mmm..., claro —dijo pensativo Coronado—. Veo que los conservadores de museo tienen una agenda muy **apretada**[236]. Cita con la condesa en el museo... Mmm... Cita con el pintor en su casa... Por cierto, ¿qué **asunto**[237] tenía usted que tratar con el señor Mínguez?

—Ya le he dicho que no sé de qué quería hablarme el pintor —respondí. No le mentía, pero tampoco le contaba lo asustado que estaba el pintor cuando le conocí. Ni la conversación que tuve con su hija. Ni las palabras que Rafael Mínguez había pronunciado antes de desmayarse—. Mire, he tenido un día difícil. He dormido mal. Esta mañana un tipo llamado Zano me ha estado siguiendo. Luego pincharon las ruedas de mi coche. Al llegar aquí me golpearon en la nuca y, finalmente, el hombre con el que tenía que hablar acaba de ser hospitalizado... —callé y me llevé la mano a la frente.

—Está nervioso y un poco dolorido —dijo el sargento al tiempo que me tendía su **pañuelo**[238]—. Tenga. Límpiese la sangre que tiene en la ceja.

—Gracias —dije, y recogí su pañuelo—. Debo de haberme golpeado la cabeza al caer.

—O bien ha estado usted peleándose... —añadió secamente el policía.

—Eso que usted **ha insinuado**[239] es ilógico. ¿Por qué

* * * * * *

236 Apretado/-a: Que está lleno de actividades, trabajos o compromisos. Esta palabra es el participio del verbo *apretar,* que también significa 'poner una cosa sobre otra haciendo fuerza o presión'. Por ejemplo: *Espinosa apretaba tanto el bastón que tenía blancos los nudillos de su mano.*

237 Asunto: Materia o tema de que se trata.

238 Pañuelo: Trozo de tela o papel cuadrado y de pequeño tamaño que se utiliza para limpiarse la nariz, el sudor, etc.

239 Insinuar: Dar a entender una cosa sin indicarla claramente.

iba yo a querer asesinar a Rafael Mínguez? ¿Cree que después de haberlo hecho iba a llamar también a la policía? ¡Por favor! —exclamé indignado.

—Cálmese, señor Cortés —dijo el sargento Coronado—. No se le acusa a usted de nada... Mmm... Pero creo que me oculta algo. Y da la casualidad de que es el único **testigo**[240] y la única **pista**[241] que tengo hasta ahora. Así que va a tener que acompañarme a comisaría —era un hombre **tozudo**[242]; sin dejarme protestar, añadió—. Venga, hombre, si es un simple ***tramitico***[243]...

* * * * * *

240 Testigo: Persona que está presente o tiene conocimiento directo de una cosa.

241 Pista: Señal o conjunto de señales que pueden llevar a conocer algo.

242 Tozudo/-a: Se dice de la persona que se mantiene en su actitud, sin dejarse convencer.

243 *Tramitico:* Estado o paso de una parte a otra en un proceso administrativo hasta que se llega a su conclusión. Observa que se trata del diminutivo de *trámite,* formado con el sufijo *[–ico]* en lugar del sufijo *[–ito] (tramitito).* La explicación de este fenómeno la encontrarás en la nota 119.

Capítulo 8

La llave y el diablo

Era la una de la madrugada cuando salí de comisaría. Estaba **exhausto**[244]. El sargento me había hecho repetir mi **declaración**[245] una y otra vez. No me soltó hasta que hizo las comprobaciones **pertinentes**[246]. O, al menos, eso creía yo, hasta que en mitad de la calle me encontré con el coche de Espinosa.

—¿Le llevo a algún sitio, señor Cortés? —preguntó Espinosa después de bajar la **ventanilla**[247] trasera de su coche.

—Al hospital en donde han ingresado a Rafael Mínguez —dije **tajantemente**[248].

Avanzamos silenciosos en medio de la oscuridad. El viento había refrescado la noche. No había **ni un alma**[249] por las calles de San José.

—Una lástima lo de Rafael... —empezó a decir Espinosa—. El sargento Coronado me ha telefoneado para explicarme lo sucedido... Se ha metido usted en un

* * * * * *

244 **Exhausto/-a:** Que está muy cansado y débil; agotado. Por ejemplo: *He trabajado durante doce horas y estoy exhausto.*

245 **Declaración:** Comunicación o manifestación que alguien hace ante un juez u otra autoridad sobre un tema concreto.

246 **Pertinente:** Referente o relacionado con aquello de lo que se habla o de lo que se está tratando; que viene a propósito y es oportuno.

247 **Ventanilla:** Abertura con cristal que tienen en uno de sus lados los coches, los vagones del tren y otros vehículos.

248 **Tajantemente:** De manera rotunda y terminante; que no admite discusión.

249 **Ni un alma:** Expresión enfática de negación sobre la existencia o presencia de personas que significa 'nadie'.

buen lío, querido Sergio... —ahora parecía irritado—. ¿O debo llamarle *profesor* Cortés?

—Pare el coche —le dije al conductor—. Seguiré a pie.

—Tranquilícese —dijo Espinosa, y su mano se posó sobre mi brazo.

Cuando volvió a hablar había recuperado su tono **paternalista**[250] habitual.

—Entiéndame, éste también ha sido un día horrible para mí. Esta mañana han robado un cuadro de mi casa. Luego, casi matan a mi amigo Rafael. Y, finalmente, he tenido que responder por usted ante el sargento Coronado... Así que sólo le pido que no me cause más problemas... Le voy a dar un buen consejo: deje de **meter las narices en donde no le llaman**[251] y dedíquese a su trabajo en el museo... Deje de jugar a los detectives y todo irá bien... *Profesor* Cortés... —añadió Espinosa dándome dos palmaditas en la espalda.

No me gustaba él. Ni su manera de hablar. Ni estar en su coche. Aún menos me gustaba trabajar para él. Cuando nos detuvimos, **despegué los labios**[252] por primera y única vez para contestar a sus amenazas:

* * * * * *

250 **Paternalista:** Que tiende a utilizar las formas de autoridad y protección propias del padre de familia en las relaciones políticas, laborales, etc.

251 **Meter las narices en donde no le llaman:** Esta expresión coloquial tiene el significado de 'curiosear, entrometerse una persona en un asunto sin que nadie se lo haya pedido'.

252 **Despegar los labios:** Expresión coloquial que significa 'hablar'. Se suele usar especialmente para dar énfasis en sentido negativo. Por ejemplo: *Luis estuvo todo el día sin despegar los labios: no dijo ni una palabra. No decir esta boca es mía* tiene un sentido parecido y se puede añadir para dar más énfasis a lo que se está diciendo. Por ejemplo: *María no despegó los labios en toda la tarde; no dijo esta boca es mía durante las dos horas que duró la reunión.*

—Dejaré de meter mis narices en sus sucios asuntos en cuanto usted le diga a Zano que ya tengo sombra. No hace falta que me siga a todas partes... —abrí la puerta y desde la calle añadí secamente —. Por cierto, **me da en la nariz**[253] que el cuadro que le han robado esta mañana es el retrato de una bella mujer llamada Elisa... La misma que aparecía en sus pesadillas.

La mirada **estupefacta**[254] de Espinosa acompañó mis pasos mientras me dirigía a la entrada del **Hospital San Juan de Dios**[255].

En el pasillo de la tercera planta me encontré a Manuel Pardo. No hizo falta que me explicara de qué conocía a Laura Mínguez. Sus ojos enrojecidos por el llanto lo decían todo.

—¿Cómo está el pintor? —le pregunté ansiosamente al periodista.

—Hace poco que ha fallecido —murmuró Manuel.

—¿Y Laura?

—No se ha separado un instante de él —respondió mi amigo señalando una de las habitaciones situadas al fondo del pasillo—. Yo... No quería dejarla sola... Ha sufrido una **crisis nerviosa**[256], pero se recuperará. Ella es fuerte...

Nos sentamos el uno frente al otro **cabizbajos**[257] y **afligidos**[258]. Guardamos silencio durante algunos mi-

* * * * * *

253 **Darle a alguien en la nariz algo:** Expresión coloquial que significa 'sospechar, pensar o intuir algo'.

254 **Estupefacto/-a:** Muy asombrado, sorprendido o atemorizado por algo.

255 **Hospital San Juan de Dios:** Centro público de atención médica de San José, situado en el paseo Colón.

256 **Crisis nerviosa:** Ataque de nervios.

257 **Cabizbajo/-a:** Se dice de la persona que tiene la cabeza inclinada hacia abajo por abatimiento o tristeza.

258 **Afligido/-a:** Triste, angustiado.

nutos. Instantes después, mi amigo Manuel pareció volver de sus pensamientos, como si hubiera recordado algo. Se limpió los ojos con un pañuelo y me dijo:

—Ahora que has venido, ya no hace falta que me quede aquí... Voy a encargarme del **entierro**[259]... Cuida tú de ella, Sergio... —y poniéndome una mano en el hombro, añadió—: ¡esa mujer es ***pura vida***[260]!

* * *

Laura no quiso que la llevara a su casa. En momentos como ése, la soledad, el dolor y los recuerdos son malos compañeros. Regresé con ella al hotel, el lugar donde nos habíamos conocido. Por desgracia, ahora las **circunstancias**[261] eran muy distintas.

En recepción había un **abultado**[262] sobre para mí que, descuidadamente, me guardé en el bolsillo. Al llegar a la habitación, le di a Laura un **somnífero**[263] y un vaso de agua. Después de que se lo tomara, la acompañé al dormitorio.

Media hora más tarde, entré para comprobar si Laura dormía. Tenía el rostro vago, pálido y sereno, el

* * * * * *

259 Entierro: Ceremonia en la que se entierra el cuerpo muerto de una persona.

260 *¡Pura vida!*: Expresión muy utilizada por los costarricenses para indicar que una persona o una cosa es 'fantástica, fenomenal o maravillosa'. *Esa mujer es pura vida* significa que es maravillosa. Esta expresión también se emplea como saludo: a la pregunta *¿Cómo estás?*, los costarricenses suelen responder *¡Pura vida!* ('muy bien, estupendamente').

261 Circunstancia: Situación o condición que rodea a algo o a alguien y que puede hacer que cambie.

262 Abultado/-a: Grueso, grande, de mucho bulto.

263 Somnífero: Medicina que se da a la persona enferma para dar o producir sueño en ella.

pelo negro alborotado y los hombros desnudos. La **arropé**[264], cerré la puerta y me dispuse a pasar la noche en el **sofá**[265].

Fue al quitarme la chaqueta cuando cayó al suelo el sobre que me entregaron en recepción. Me había olvidado por completo de él.

En el sobre se leía mi nombre y la dirección del hotel, pero no ponía quién lo había enviado. Sin embargo, reconocí la letra de inmediato. Era la apretada caligrafía del pintor. Abrí el sobre impaciente. Contenía tan sólo dos objetos: una llave y un diario de tapas rojas.

La llave tenía grabados el número treinta y nueve y las **siglas**[266] FF.CC. Me levanté del sofá y fui en busca de mi mapa de San José. Lo abrí y, después de encontrar lo que buscaba, volví de nuevo al sofá para dedicarme a estudiar el diario.

El diario había sido escrito por una mujer. Algunas de las hojas habían sido arrancadas y el paso del tiempo había dejado amarillas las que quedaban. Empezaba el día 5 de abril de 1972. Terminaba bruscamente más de un año después, concretamente, el 7 de marzo de 1973. En la última página del diario tan sólo había una frase anotada: "No lo haré. No lo amo. Antes, muerta".

* * * * * *

264 Arropar: Cubrir o abrigar con ropa. Por ejemplo: *Sergio Cortés arropó a Laura por si tenía frío.*

265 Sofá: Asiento para dos o más personas, con complementos para reposar los brazos y la espalda.

266 Sigla: Letra inicial que se emplea como abreviatura de una palabra. Como este procedimiento se emplea para expresiones complejas, el resultado es un conjunto de letras o siglas que suelen escribirse sin punto. Por ejemplo: *ONU son las siglas de Organización de las Naciones Unidas.* El género de las siglas está determinado por el de la palabra principal de la expresión. Por ejemplo: *La ONU es una organización; El PSOE es un partido político español.*

Al finalizar la lectura **intuí**[267] quién podía haberlo escrito y quiénes eran algunas de las personas que aparecían frecuentemente citadas en el texto. También me di cuenta de lo importantes que eran aquellos dos objetos. Ambos **comprometían**[268] a don Alonso de Espinosa...

Entonces vi claro cómo habían llegado hasta mí. El pintor quiso hablarme de todo ello, pero se sentía vigilado. Por eso me citó en su casa. Aunque fue un **incauto**[269], ya que lo hizo delante de la condesa Lula. No debió de ser muy difícil para Zano **sonsacárselo**[270]. En cuanto Zano supo de mi cita con el pintor, se adelantó y registró la casa. Al no encontrar lo que buscaba, **torturó**[271] al pintor para que le dijera dónde lo había escondido.

Zano no podía imaginar que Rafael Mínguez ya **había puesto en mis manos**[272] aquello que andaba buscando. El secreto mejor guardado de Espinosa.

Cuando agonizaba, el pintor me habló de una llave y de un diario. También me habló, lo recordaba perfectamente, de un asesinato. Tenía ante mí la llave y el diario. Ahora sólo faltaba ver dónde encajaba un asesinato en todo aquello... Tenía que averiguarlo. Tenía que hacerlo por el pintor y por Laura. Se lo debía a los dos...

* * * * * *

267 **Intuir:** Percibir de manera clara e instantánea una idea o situación, sin necesidad de razonamiento.

268 **Comprometer:** Exponer a alguien a un riesgo o peligro.

269 **Incauto/-a:** Que no tiene precaución ni cuidado; que no es cauto.

270 **Sonsacar:** Intentar con habilidad que alguien diga o descubra lo que sabe y no quiere decir.

271 **Torturar:** Causar dolor físico o psicológico a alguien, para obtener de él una confesión o para castigarlo.

272 **Poner algo en las manos de alguien:** Esta expresión tiene el significado de 'poner algo al cuidado de alguien; dárselo para que lo proteja o administre'.

Guardé la llave y el diario. Saqué la **baraja**[273] que siempre llevo conmigo en los viajes y empecé a hacer un **solitario**[274]. Habitualmente, las cartas **me relajan**[275] y me ayudan a pensar. Mientras jugaba, mi cabeza intentaba buscar una relación entre las palabras del pintor y los objetos que me había enviado. Las cartas que me tocaron ni eran buenas ni me ayudaron a encontrar la solución, pero el juego me relajó tanto que acabé por quedarme dormido.

Cuando me desperté, aún tenía la reina de corazones entre los dedos.

* * * * * *

273 **Baraja:** Conjunto de cartas o naipes, de distintas clases y figuras (de póquer, española, del tarot...) que se usa para distintos juegos de mesa o para hacer prácticas de adivinación.

274 **Solitario:** Juego de cartas en el que interviene una sola persona.

275 **Relajarse:** Conseguir un estado de reposo físico y mental.

1 Vamos a ver si has entendido el texto. Ordena cronológicamente los sucesos que ocurren en los cuatro capítulos de esta segunda parte. Aquí te los presentamos de forma desordenada. Fíjate en el ejemplo que te damos.

número de orden

a Manuel Pardo cuenta a Sergio Cortés que Espinosa se presenta a las próximas elecciones y que debe una parte de su fortuna a los fondos estatales y al blanqueo de dinero.

b Alguien golpea en la nuca a Sergio Cortés.

c La condesa Lula muestra el museo a Sergio y le cuenta cómo será la ceremonia de inauguración.

d Sergio acompaña a Laura Mínguez a su hotel.

e Sergio Cortés ha soñado que la mujer del cuadro le pedía ayuda. 1

f El sargento de policía Coronado se lleva a Sergio a la comisaría.

g Zano persigue a Sergio Cortés cuando éste va a reunirse con su amigo el periodista.

h Gravemente herido, el pintor habla a Sergio de unos documentos, una llave, un diario, un asesinato y el museo.

i Sergio encuentra una factura de una tienda llamada *Carnaval Tico* en uno de los coches aparcados frente a la casa del pintor.

j Alonso de Espinosa lleva a Sergio al hospital. El magnate ya sabe que Sergio es profesor y detective.

k En el hospital, Manuel Pardo informa a Sergio de la muerte del pintor.

l Sergio encuentra una llave y un diario dentro del sobre que le ha enviado el pintor antes de fallecer.

2 **¿Puedes contarnos qué dijeron? Transforma las siguientes frases, que están en estilo directo, a estilo indirecto. Sigue el modelo que te damos en el ejemplo.**

Ejemplo Manuel Pardo dijo: "Ser periodista es para mí una necesidad: la necesidad de ver las cosas, de entenderlas y luego, explicarlas".
⇨ **Manuel Pardo dijo que ser periodista era para él una necesidad: la necesidad de ver las cosas, entenderlas y luego, explicarlas.**

1 La condesa Lula le explica a Sergio: "He contratado a cinco actores para la inauguración. Irán disfrazados de estatuas".
⇨ ______________________________
____

2 El sargento de policía Coronado le dice a Sergio: "Va a tener que acompañarme a comisaría".
⇨ ______________________________
____

3 Alonso de Espinosa advierte al profesor Cortés: "Deje de jugar a los detectives y no meta las narices en donde no le llaman".
⇨ ______________________________
____

4 Manuel Pardo le susurra a Sergio: "Cuida tú de Laura. ¡Esa mujer es *pura vida!*".
⇨ ______________________________
____

3 **Sustituye las palabras subrayadas del texto por otras que signifiquen lo mismo (sinónimos). En el cuadro tienes un listado, pero ten en cuenta que no todas las palabras que aparecen en él son válidas.**

esconder • asustar • auxilio • liso • guiar
estancia • cuadro • surgir • enseñar
viejo • hombre

Mientras Sergio Cortés se afeitaba, recordó que había tenido una pesadilla digna de un antiguo (______________) emperador chino. Soñó que el retrato de Elisa estaba colgado en su habitación (______________). Ella estaba viva y salía del cuadro para pedirle ayuda (______________). De pronto, aparecía Alonso de Espinosa, acompañaba (______________) a la mujer de nuevo al cuadro y ocultaba (______________) el retrato en otra sala.

4 **Si quieres saber más cosas sobre la riqueza natural de Costa Rica, completa las oraciones con el verbo que se indica entre paréntesis. Para ello deberás conjugarlo en el tiempo que corresponda en cada caso: presente *(ama)*, pretérito indefinido *(amé)* o pretérito perfecto simple *(he amado)*.**

A pesar de ser un país pequeño, Costa Rica siempre (tener) ______________ una gran diversidad de especies animales y vegetales. Actualmente, (existir) ______________ más de 6.000 especies vegetales, entre ellas 1.200 tipos de orquídeas y 1.400 especies de árboles. Hace cincuenta años, tres cuartas partes del territorio (estar) ______________ cubiertas por selvas vírgenes. Aún lo estarían si no fuera por la deforestación. En 1960, el gobierno de Costa Rica (llegar) ______________ a un acuerdo para la creación de un plan que protegiera la riqueza ecológica del país. A partir de entonces, el 12% de la superficie (ser) ________________ declarada Parque Nacional y casi el 27% (pasar) ________________ a ser territorio protegido.

En Costa Rica (poderse) ________________ visitar 68 volcanes, entre los que se encuentran el Poás y el Irazú; ambos (situar) ________________ en la cordillera Central. Entre sus selvas, (destacar) ________________ por su belleza la de Tortuguero y la de Corcovado.

5 **Este ejercicio te ayudará a expresar con otras palabras algo que ya se ha dicho. También te ayudará a sacar conclusiones. En la columna A tienes los principios de unas frases y en la columna B, los finales. Únelos adecuadamente.**

A	B
1 Sergio creía haber despistado a Zano, pero se encontró con las ruedas de su coche pinchadas,...	**a** ... es decir, que el magnate lo tendrá muy difícil para ganar las elecciones.
2 Espinosa debe parte de su fortuna a los fondos estatales y al blanqueo de dinero,...	**b** ... o sea, que la condesa Lula le habló a Zano de la cita de Sergio y el pintor.
3 El alcalde Raúl Izquierdo aventaja a Espinosa en las encuestas de voto,...	**c** ... es decir, que había subestimado a Zano y no era tan fácil despistarlo.
4 El pintor citó a Cortés delante de la condesa Lula. No fue difícil para Zano sonsacárselo,...	**d** ... o sea, que parte de su dinero lo ha conseguido mediante actos ilícitos.

Parte 3
Blanco

Capítulo 9

El 8 de marzo de 1973

Laura se había marchado. Lo supe porque en la mesa, al lado de las cartas, había una nota para mí en la que decía: "Dormías como un niño y no quise molestarte. Me he puesto una de tus camisas. Mi ropa aún olía a hospital. Nos veremos más tarde, en el entierro de mi padre. Por si allí no pudiera decírtelo: gracias por todo. Laura."

Me encaminé a la ducha. Cuando me enfrenté al espejo vi que las tres horas de sueño les sentaron bien a mis ojos y a mi cara cansada. El corte de mi frente también tenía mejor aspecto.

"Sergio", me dije, "cuánta razón tenía **aquel francés**[276]: todos tus problemas se deben a que no puedes permanecer quietecito en tu despacho. No, nada de eso. Tú tienes que viajar a Costa Rica siguiendo tu instinto, aunque sepas que éste te va a meter en un lío detrás de otro. Así te va", añadí riéndome del hombre reflejado en el espejo.

Después de vestirme, cogí la llave que me envió el pintor y la introduje en el **llavero**[277], junto con las del coche. Al verla allí, entre las otras, nadie sospecharía que aquella llave era mucho más importante que las demás. Luego le quité las tapas rojas al diario y las cambié por las de un libro de poesía que había traído conmigo. Nadie me robaría un libro de poemas titulado ***Mientras el aire es nuestro***[278]: por desgracia, la poesía es un género minoritario.

Como todas las precauciones son pocas cuando se llevan encima objetos tan importantes, antes de salir decidí hacer una cosa más. Metí en un sobre con el **membrete**[279] del hotel el verdadero libro de poemas de Jorge Guillén, algunos papeles sin importancia y mi mapa de la ciudad de San José. Previamente, en el mapa había señalado con un círculo la estación de autobuses. Escribí la dirección de Laura en el sobre y al bajar le dije al recepcionista que lo enviara urgentemente.

* * * * * *

276 **Aquel francés:** En el texto se está hablando del filósofo y científico francés Blaise Pascal (1623-1662), que en su obra *Pensées (Pensamientos)* estableció que nuestras desgracias se reducen a una sola causa: "nuestra incapacidad de permanecer tranquilamente en una habitación".

277 **Llavero:** Objeto que sirve para llevar o guardar las llaves.

278 ***Mientras el aire es nuestro:*** Conjunto de poemas del escritor español Jorge Guillén, publicado en 1979 (ver nota 5).

279 **Membrete:** Nombre o título de una persona, oficina o empresa que aparece puesto en la parte superior del papel de escribir o de los sobres de cartas.

Eso despistaría al que estuviera buscando lo que yo tenía. Me hubiera gustado ver la cara del hombre que, después de robar el sobre, se encontrara con un libro de poemas, unos inofensivos papeles y una dirección anotada en un mapa. Deseé que aquel hombre fuera Zano. Y que se pasara más de medio día esperando **en vano**[280] a que Laura o yo apareciéramos en la estación de autobuses para recoger aquello que andaba buscando.

Las horas de sueño habían despertado mi apetito. Mientras desayunaba un inmenso plato de **gallo pinto**[281], me entretuve leyendo el periódico. Manuel Pardo no sólo se había encargado del entierro aquella noche, sino que también había tenido tiempo de escribir un magnífico artículo en *El Observador* sobre la muerte del pintor Rafael Mínguez. Me gustó porque no había ni rastro de ira en él —sí de **indignación**[282], naturalmente— y porque dejaba que fuera el lector quien sacara sus propias conclusiones.

El artículo de Manuel también decía que se respetaría el deseo de Laura y que el entierro sería en privado, sin gran **parafernalia**[283]. El gobierno ya se había

* * * * * *

280 En vano: Expresión que tiene el significado de 'inútilmente, sin resultado de ningún tipo'.

281 Gallo pinto: Plato propio de Costa Rica que habitualmente se come para desayunar. Se hace con arroz blanco y frijoles fritos (los *frijoles* son un tipo de judía), aunque a veces se acompaña también de huevos, carne, jamón, etc. Se sirve con pan de maíz. La comida *tica* es muy similar a la mexicana, ya que se usan los mismos alimentos: arroz, frijoles, verdura, carne y pescado; todo se suele servir envuelto en un pan de maíz plano y redondo que son las *tortitas* o *tortillas.*

282 Indignación: Gran enfado contra una persona o sus actos.

283 Parafernalia: Conjunto de ceremonias o de preparativos que rodean a determinados actos o personas importantes. Actualmente esta palabra se usa mucho para referirse a lugares lujosos o llamativos y recargados.

encargado de declarar un día de **luto**[284] oficial por la muerte del célebre pintor.

Al pagar el almuerzo, me di cuenta de que en mi cartera aún guardaba la factura que encontré en el coche la tarde en que asesinaron al pintor. No me costaba nada dedicarle un poco de tiempo. Aunque fuera tiempo **desperdiciado**[285]. Tal vez lo haría antes de ir a la inauguración del museo.

Aquel día tenía otros compromisos más importantes: primero asistir al entierro y visitar la biblioteca después.

* * *

El sol daba un aire irreal al **Cementerio General**[286] de San José. Uno no se imagina ser enterrado en un día tan espléndido, tan lleno de vida.

Acababa de hablar el sacerdote. Sus últimas palabras pronunciadas en latín aún **retumbaban**[287] en mis oídos. Ninguna de las personas que nos habíamos congregado allí nos movimos hasta que aparecieron dos hombres con unas cuerdas. El silencio se podía cortar con un cuchillo cuando los dos hombres utilizaron las cuerdas para bajar el **ataúd**[288] al interior de la tumba.

* * * * * *

284 Luto: Signo exterior de pena o tristeza por la muerte de una persona.

285 Desperdiciado/-a: Desaprovechado, mal empleado.

286 Cementerio General: Está situado en la décima avenida, entre las calles veintidós y veintiocho. En este cementerio están enterrados los principales escritores, artistas y presidentes de Costa Rica.

287 Retumbar: Resonar mucho o hacer gran ruido o estruendo una cosa.

288 Ataúd: Caja, generalmente de madera, en la que se pone el cuerpo muerto de la persona a la que se va a enterrar.

Laura tenía un ramo de **guarias moradas**[289] en una mano. Con la otra se tapaba el rostro. Aún llevaba la camisa negra que había cogido de mi armario. A su lado estaba Manuel Pardo, derecho como un soldado. Laura lanzó el ramo al foso y se abrazó a Manuel. Me reproché mi egoísmo, pero en aquel momento no pude evitar sentir un pinchazo de **celos**[290].

La ceremonia concluyó cuando los mismos hombres que bajaron el féretro cubrieron la tumba con una pesada **losa**[291]. Encima, colocaron las **coronas fúnebres**[292].

Entonces Laura pasó frente a mí, levantó sus ojos y trató de sonreírme.

Me quedé allí hasta que la **comitiva**[293] se fue, guardando dentro de mí aquella tímida sonrisa como si fuera un preciado tesoro. Antes de abandonar el lugar, fui hasta la tumba de Rafael Mínguez. Recogí una corona de flores a nombre de Espinosa y la lancé tan lejos como pude. Cayó cerca de un agujero que esperaba a su **inquilino**[294]. Ése, creo, fue mi homenaje al pintor.

* * *

* * * * * *

289 Guaria morada: *(Cattleya skinnery)* Flor, la orquídea, con una variedad de color intermedio entre el rojo y el azul. Se considera la flor que representa a Costa Rica.

290 Celos: Sospecha o duda de que la persona a la que se ama sienta amor o tenga relaciones con otra. En este sentido sólo se usa en plural.

291 Losa: Piedra llana, generalmente labrada, con que se cierra o cubre una tumba.

292 Corona fúnebre: Conjunto de flores y hojas dispuestas en forma de aro, que se pone en la tumba de la persona que ha muerto.

293 Comitiva: Conjunto de personas que acompaña a alguien.

294 Inquilino/-a: Persona que ha alquilado una casa o parte de ella para habitarla. En el texto se usa de manera irónica: la tumba vacía espera al muerto que la ocupará; espera a su *inquilino*.

Al salir del cementerio me dirigí a la **Biblioteca Nacional**[295]. Conduje mi coche sin prisas a lo largo de la décima avenida. Torcí a la izquierda en la calle once y luego a la derecha a la altura del Parque Morazán. Aparqué en la tercera avenida, enfrente de la **Galería Nacional de Arte Contemporáneo**[296].

Una vez en la biblioteca, pregunté a una señora dónde podía consultar el archivo de periódicos. La señora me dijo que la **hemeroteca**[297] se encontraba en el tercer piso, pero que en ese momento no se podían hacer consultas allí porque estaba en obras. Insistí, **aduciendo**[298] que era muy urgente.

—Tal vez pueda hacer algo por usted, joven —dijo la bibliotecaria, una mujer **rolliza**[299] de unos sesenta años, mientras me enseñaba unas llaves—. Cuanto más mayor se hace una, menos ocasiones tiene de ser útil. Nos pasa como a esos viejos periódicos que quiere consultar —añadió con una sonrisa de oreja a oreja—. Vamos, no se quede ahí; sígame, joven.

Acompañé a la simpática bibliotecaria hasta la hemeroteca. Una vez allí, abrió la puerta y me invitó a pasar.

* * * * * *

295 **Biblioteca Nacional:** Edificio situado al este de San José, frente al Parque Nacional. La biblioteca tiene un importante conjunto de libros costarricenses. Durante el terremoto de 1991 sufrió graves daños, por lo que fue reconstruida.

296 **Galería Nacional de Arte Contemporáneo:** Galería instalada en el edificio de la antigua Fábrica Nacional de Licores, al lado de la Biblioteca Nacional. En ella hay obras de arte moderno realizadas por artistas costarricenses y también se organizan importantes exposiciones temporales de artistas extranjeros.

297 **Hemeroteca:** Biblioteca pública que se destina exclusivamente a publicaciones periódicas.

298 **Aducir:** Presentar o alegar pruebas, razones o excusas para algo.

299 **Rollizo/-a:** Robusto, grueso, gordo.

—Usted quédese aquí —dijo, indicándome una mesa despejada—. No se vaya a manchar de pintura. A ver, joven, ¿qué periódicos le hacen tanta falta?

—Querría ver varios periódicos del día 8 de marzo de 1973: *El Observador, La Nación, La República* y *El Día* —respondí.

—*El Observador* imposible, joven —dijo divertida—. Ese periódico hace tan sólo diez años que existe. Le traeré los otros tres.

—Muchas gracias, es usted muy amable —dije agradecido.

—No me las dé aún, joven, no me las dé aún —repitió mientras se dirigía al interior de la habitación.

El olor a humedad y a pintura fresca me recordó la casa de Rafael Mínguez. Sentí un escalofrío. Esa sensación desapareció en cuanto la bibliotecaria se acercó con los tres antiguos y amarillentos periódicos. Me puse a hojearlos uno por uno.

¡Bingo![300] En la página de sucesos de *La República* encontré lo que buscaba. Era un artículo a cuatro columnas acompañado de dos fotografías en blanco y negro. El titular **rezaba**[301]: "El hijo del presidente Espinosa, en el hospital".

En la foto de la derecha aparecía un joven Alonso de Espinosa, sin bigote y sin sus gafas oscuras. Sus ojos tenían algo de diabólico. En la de la izquierda estaba Elisa, con el cabello recogido y una tímida sonrisa dibujada en los labios. Debajo de la fotografía se

* * * * * *

300 ¡Bingo!: Exclamación que dice quien ha ganado en una partida del juego que tiene este mismo nombre. También se utiliza, como en el texto, para indicar que se ha solucionado o encontrado algo.

301 Rezar: Expresar algo un texto escrito. Por ejemplo: *La pancarta rezaba así: "No a la autopista".*

leía: "Elisa Freyre, la **prometida**[302] de Alonso de Espinosa".

Me quedé como **hechizado**[303] contemplando su belleza. No obstante, lo que más me sorprendió fue descubrir que Laura **era el vivo retrato**[304] de Elisa.

—Por su cara, veo que a lo mejor sí que tendría que darme las gracias —dijo la bibliotecaria, y se acercó para mirar la fotografía de Elisa—. ¡No me extraña que tuviera tanta prisa por encontrarla, joven, es muy guapa!

—Sí, lo era —asentí—. ¿Puedo hacer una fotocopia del artículo?

—Naturalmente —dijo con una sonrisa de orgullo—. Venga conmigo.

* * *

302 **Prometido/-a:** Se dice de la persona que ha hecho la promesa de casarse con otra.

303 **Hechizado/-a:** Que tiene una gran admiración, afecto o deseo por una persona o cosa.

304 **Ser el vivo retrato:** Expresión que significa que 'alguien se parece mucho a otra persona'. Observa que el autor hace un juego de palabras: con la expresión *era el vivo retrato de Elisa* no sólo se refiere al parecido entre Laura y Elisa, sino que también alude al cuadro del mismo nombre, *El retrato de Elisa,* que es el que da título a la obra.

Capítulo 10

Corre, Sergio, corre

Faltaban cuarenta y cinco minutos para la inauguración del museo. El tiempo suficiente para averiguar si aquella factura encontrada en la guantera del sedán negro era o no importante.

Atravesé a pie el centro de la ciudad. A esa hora de la tarde, un **enjambre**[305] de coches abarrotaba las calles. El calor hacía perder los nervios a algunos conductores. Los pocos policías que había eran insuficientes para organizar aquel caos de ruido, humo y prisas.

La tienda *Carnaval Tico* estaba situada a dos manzanas de la **Plaza de la Democracia**[306]. En el escaparate se veían vestidos, máscaras y telas. Era una tienda de disfraces.

—Buenas tardes —dije al entrar.

—¿En qué puedo ayudarle? —me preguntó amablemente el dependiente de la tienda.

—Verá —empecé a decir—, vengo a hacerle unas cuantas preguntas relacionadas con esta factura —dije poniendo el papel en el **mostrador**[307], justo delante de él.

* * * * * *

305 Enjambre: Gran cantidad de abejas con su reina, que salen juntas de la colmena. A partir de este significado se entiende el sentido de la palabra en el texto: 'conjunto muy numeroso de personas (las que conducen los coches) o animales juntos'.

306 Plaza de la Democracia: Espacio de San José situado al este de la avenida Central. Esta plaza fue construida en 1989 para celebrar que la democracia costarricense cumplía cien años.

307 Mostrador: Mesa larga y cerrada en la parte exterior que sirve para presentar lo que se vende en las tiendas o para servir comidas y bebidas en los bares, cafeterías, etc.

Enseguida vi cómo la expresión del dependiente pasaba de la amabilidad al temor y la **reserva**[308]. Sin duda, mi pregunta le hizo pensar que yo era policía. Como eso era precisamente lo que me proponía, mentí:

—Soy policía. Me envía aquí el sargento Coronado, de la **brigada de homicidios**[309] —le mostré una tarjeta que había cogido de la mesa del sargento la noche en que éste me interrogó. Siempre llevo diferentes tarjetas en la cartera: nunca sabes para qué pueden servirte.

—Yo..., yo..., yo sólo tengo un negocio, no... —balbuceó el dependiente.

—Tranquilícese —continué—. No es usted a quien buscamos, sino a la persona que recibió esta factura. Es hasta ahora la única pista que tenemos sobre un importante caso en el que estamos trabajando. Más no puedo decirle. Pero usted, sí. Necesito que usted **compruebe**[310] qué fue lo que vino a buscar la persona a la que le dio esta factura —cuando quiero, puedo ser muy convincente.

—Como comprenderá... No me acuerdo de todos los clientes, ni de todas las facturas —respondió el dependiente; ya estaba más calmado—. Sin embargo, puedo consultar el **registro**[311] de las ventas que hacemos cada día... Si hace el favor de esperar un momento... —recogió la factura y entró por una puerta lateral.

* * * * * *

308 Reserva: Discreción, prudencia.

309 Brigada de homicidios: Un *homicidio* es un 'asesinato', por lo que la *brigada de homicidios* son los 'policías especializados en resolver asesinatos'.

310 Comprobar: Confirmar, verificar si es verdadera o exacta una cosa.

311 Registro: Libro en el que se apuntan noticias breves o datos de personas o mercancías para tener constancia de su paso por un lugar.

No había pasado ni un minuto cuando apareció de nuevo. Traía consigo una gran **libreta de cuentas**[312].

—Factura número 457. Aquí está —dijo después de buscar en las anotaciones de la libreta—. Su factura corresponde a la venta de un disfraz de estatua griega que hicimos hace dos días...

—¿De estatua griega, ha dicho? —pregunté sorprendido.

—Sí —asintió con la cabeza—. Ahora que veo las anotaciones me acuerdo perfectamente. Mire —añadió enseñándome el registro—. Ese mismo día vendimos cinco disfraces más como ése... Lo recuerdo muy bien. Justo antes de que le vendiera ese disfraz a un hombre, una clienta ya había comprado otros cinco iguales...

No me hizo falta preguntar al dependiente de *Carnaval Tico* si recordaba el aspecto que tenía el hombre que lo compró. Sabía demasiado bien que tenía la piel tostada por el sol, la nariz chata y **planta**[313] de boxeador.

Sabía, además, que era un hombre hábil en las apuestas y en las persecuciones. De hecho, deduje que había seguido hasta esa tienda a la condesa Lula. Y que después de que ella saliera con los disfraces, había entrado él para comprar uno del mismo modelo.

"Corre, Sergio, corre", me dije cuando iba hacia mi coche. Ahora yo era uno más de los conductores de San José que tenían prisa. Prisa por llegar cuanto antes al museo.

* * *

* * * * * *

312 Libreta de cuentas: Cuaderno que tienen los hombres de negocios y los comerciantes para anotar en ellos la entrada y salida de dinero.

313 Planta: Esta palabra tiene muchos significados, según el contexto en el que se encuentre. Aquí hace referencia al 'aspecto exterior de una persona'.

Tres eran los coches que la policía **había destinado**[314] para la inauguración del museo. Suficientes para contener a los pocos ecologistas que se manifestaban en el exterior del Parque Metropolitano La Sabana. Deseé que también fueran los hombres suficientes para detener a un asesino.

En el interior de uno de esos tres coches se encontraba el sargento Coronado. Fui hacia él.

—Sargento, tiene que escucharme —dije apresuradamente—. En estos momentos, dentro del museo hay un hombre disfrazado que se propone cometer un asesinato...

—Señor Cortés —me interrumpió levantado la mano—, admiro a los hombres con imaginación, pero... Mmm... No me gusta que nadie **me tome el pelo**[315]...

—Escúcheme, Coronado —le dije—. Luego decidirá si estoy loco o no. La noche en que asesinaron al pintor Rafael Mínguez encontré esta factura. Es de una tienda de disfraces. Estaba en la guantera de un sedán negro aparcado enfrente de la casa del pintor. Ése es el coche de Zano, el tipo que le dije que me estuvo siguiendo. El mismo, según creo, que asesinó al pintor... Espere, déjeme continuar —añadí sin dejarle hablar—. Antes de que ustedes llegaran, el pintor me habló de un asesinato. No entendí qué significado tenían sus palabras hasta esta tarde.

—Usted no me contó nada de eso en comisaría —dijo el sargento.

* * * * * *

314 Destinar: Designar el lugar en el que una o más personas (en el texto, los policías en sus coches) han de realizar la función o el trabajo que se les ha mandado.

315 Tomar el pelo a alguien: Expresión coloquial que significa 'burlarse de una persona con elogios, promesas o halagos que no son verdaderos'. Por ejemplo: *"No intente tomarme el pelo, yo sé que no hay ningún asesino disfrazado en el museo", dijo el sargento.*

—Se lo estoy contando ahora —continué—. Acabo de ir a la tienda de disfraces. El dependiente puede confirmar que Zano estuvo allí hace dos días. Compró el mismo modelo de disfraz que unos instantes antes había comprado la condesa Lula para vestir a los actores que participarán en la inauguración...

—No veo qué prueba eso —me interrumpió el sargento. Creo que ya dije que era tozudo.

—No ve qué prueba, ¿eh? Pregúntese qué ganaría Espinosa asesinando al alcalde, el líder político de la oposición y su máximo rival en las próximas elecciones. Pregúntese si, después de asesinarle, Espinosa tendría algún problema para construir su autopista. Pregúntese, sargento, qué mejor manera de asesinar al alcalde que en un acto público como éste, estando Espinosa presente y teniendo como **coartada**[316] y como testigos la televisión y la propia policía...

El sargento **se sumió**[317] en un incómodo silencio. Supuse que debía de estar analizando qué pasaría si yo tuviera razón. Seguramente llegó a una rápida conclusión. La posibilidad de una **jubilación**[318] anticipada como policía y un bonito **escándalo**[319].

—La condesa Lula me contó que en la inauguración

* * * * * *

316 Coartada: Prueba para demostrar que una persona acusada de un delito no estuvo en el lugar en que sucedió ese delito.

317 Sumirse: Caer o hacer caer en un estado; hundir.

318 Jubilación: Estado de una persona que ha dejado el trabajo porque ha cumplido la edad fijada para ello por la ley, o porque sufre una incapacidad física. Las personas *jubiladas* tienen derecho a recibir una pensión o cantidad de dinero de manera periódica hasta el momento de su muerte.

319 Escándalo: Acción o palabra que provoca rechazo o ruido. Por ejemplo: *El policía tuvo que retirarse a causa del escándalo, porque la gente gritaba desde las ventanas.*

habría cinco personas disfrazadas. La sexta de esas personas es nuestro hombre —añadí para acabar de convencerle.

—Voy a pedir **refuerzos**[320] y luego vamos a entrar en el museo—respondió muy serio el sargento y levantó su dedo hacia mí—. Pero escúcheme, señor Cortés, todo se va a hacer como yo diga... Y espero por su bien que **esté en lo cierto**[321]. Si no, ya puede ir buscándose el mejor abogado que conozca...

La gente ya **se había agolpado**[322] en el interior del museo cuando nosotros entramos. En ese mismo instante, el alcalde se disponía a cortar la primera de las cintas. Eché un rápido vistazo a la sala. Reconocí, en uno de los laterales, a Laura. Por **señas**[323], traté de decirle que abandonara el museo. Ella no me vio.

Como acordamos, el sargento coronado intentó llegar hasta el alcalde. A su derecha se encontraba la condesa Lula. Detrás de ella, apoyado en su bastón, Espinosa.

En cuanto el alcalde cortó la cinta, la gente rompió en aplausos. Justo entonces, aparecieron los actores disfrazados de estatuas.

Acompañado por dos policías, me abrí paso entre la multitud. Al ver que nos acercábamos, uno de los seis actores disfrazados se apartó repentinamente del grupo. Buscó algo en el interior de su disfraz.

* * * * * *

320 **Refuerzo:** Conjunto de personas o cosas que acuden como socorro o ayuda de otras.

321 **Estar en lo cierto:** Expresión que significa 'tener razón', porque se confirma lo que alguien piensa o dice.

322 **Agolparse:** Juntarse de repente personas, animales o cosas en un lugar.

323 **Seña:** Gesto o signo que hace una persona a otra para comunicarle algo sin palabras.

En un abrir y cerrar de ojos[324], se oyeron tres disparos.

Una confusión de gritos se adueñó del museo. Presa del temor, la gente comenzó a huir en **estampida**[325] hacia la puerta de entrada.

Zano aprovechó la confusión producida por sus tres disparos al aire para escapar por una puerta lateral.

Corrí tras él al exterior del museo. Lo perseguí entre el laberinto de árboles. Aún seguía tras él cuando atravesamos algunos espacios verdes y finalmente calles.

Cuando me detuve, sin aliento, estaba en un callejón sin salida del barrio **residencial**[326] que rodeaba el parque. En el suelo, a mis pies, se encontraba el disfraz de Zano. Había escapado dejando atrás la piel, como las serpientes.

* * *

Uno de los errores más frecuentes que todos cometemos es el hecho de no darnos cuenta de que cada momento que vivimos está pasando a la vez en lugares distintos. Porque sólo **percibimos**[327] el tiempo a partir del lugar en que nos encontramos. Sin embargo, ese mismo instante también lo viven otras personas en otros lugares. La idea de que yo no debía estar allí, delante del disfraz, en

* * * * * *

324 **En un abrir y cerrar de ojos:** Expresión que significa 'en un instante, en un momento'.

325 **Estampida:** Huida desorganizada y sin orientación que emprende de repente un conjunto de personas o animales.

326 **Residencial:** Se dice de cualquier parte de una ciudad destinada principalmente a viviendas. En ella suelen vivir personas que pertenecen a las clases más altas de la sociedad, a diferencia de los barrios populares, industriales y comerciales.

327 **Percibir:** Conocer, comprender.

aquel callejón, sino en otro lugar, iluminó mi cerebro como un ***flash***[328]. Entonces eché a correr de nuevo.

Capítulo 11

El diablo y la doncella

Regresé **a toda prisa**[329] al museo. Mientras corría, deseé con todas mis fuerzas haberme equivocado. Llegué sin aliento y busqué, una por una, en todas las salas. Nadie. Nadie. Nadie. "**¡Ojalá**[330] tampoco haya nadie en la última!", pensé. Pero allí estaban los dos. En el *Salón Dorado*. En la tercera de las plantas del museo. Rodeados de pinturas y esculturas que parecían contemplarlos desde el pasado.

Espinosa permanecía muy quieto, casi pegado a la pared. Tenía los **nudillos**[331] de la mano izquierda blancos de tanto apretar el bastón y un miedo **indescriptible**[332] dibujado en el rostro. Laura estaba en medio de la habitación, vestida aún de negro, apuntando al magnate con una pistola.

—No lo hagas, Laura —dije con calma, e intenté acercarme a ella poco a poco.

* * * * * *

328 *Flash*: Impresión fuerte. Esta palabra procede del inglés.
329 A toda prisa: Con la mayor rapidez posible.
330 ¡Ojalá!: Interjección con la que se expresa un gran deseo de que suceda o no suceda algo.
331 Nudillo: Parte exterior de cada una de las articulaciones de los dedos, por la que se doblan. Esta palabra se utiliza más en plural *(nudillos)*, tal como aparece en el texto.
332 Indescriptible: Que es tan grande e impresionante que no se puede describir con palabras.

Sus manos temblaban **aferradas**[333] a la pistola. **Clavaba sus ojos**[334] en los de Espinosa.

—Fue él —dijo Laura. También le temblaba la voz—. Él lo organizó todo...

Miré a Espinosa. Era la segunda vez que lo veía sin sus gafas oscuras. Como en la fotografía del viejo periódico, sus ojos seguían teniendo algo de diabólico.

—Él..., él trataba de hacer con el alcalde lo mismo que hizo con..., con mi padre... —a Laura se le quebró la voz.

—Sí, fue él —asentí—. Él encargó a Zano que matara a tu padre —dije mirándole fijamente a los ojos—. Como también encargó a Zano que asesinara al alcalde. Aquí. En su propio museo. Delante de la policía y de cientos de personas. Creyó que, así, nadie podría acusarle del asesinato. Pero esta vez no **se ha salido con la suya**[335]... La policía no tardará en detener a Zano. Y de-

* * * * * *

333 **Aferrado/-a:** Que agarra o coge con fuerza algo.

334 **Clavar los ojos:** Expresión que significa 'mirar a alguien con mucho cuidado y atención'.

335 **Salirse alguien con la suya:** Expresión coloquial que significa 'conseguir alguien lo que quiere o que algo salga como deseaba'.

trás de él irá usted, señor Espinosa —añadí señalando al magnate con el dedo.

Callé. Seguí aproximándome a Laura. Cuando ya estaba prácticamente a su lado, volví a dirigirme a ella:

—No dispares. No vale la pena, Laura. Si disparas vas a ser igual que él... — intenté convencerla—. Si lo haces, todos los esfuerzos de tu padre habrán sido en vano —cada vez estaba más cerca de ella—. Tampoco su muerte habrá servido para nada... Confía en mí, Laura. Baja la pistola, por favor —añadí. Ya casi la podía tocar.

Al **resbalar**[336] de sus manos, la pistola golpeó contra el suelo e hizo un ruido seco y metálico que las paredes repitieron. Laura se miró las manos vacías y los ojos se le llenaron de lágrimas.

Nos abrazamos durante un instante que me pareció **eterno**[337].

El sonido de una puerta que se cerraba y el golpeteo de un bastón contra el suelo quebró aquel **mágico**[338] instante.

—Deja que huya —le susurré a Laura—. Espinosa no tiene ya dónde esconderse...

Me quedé con la pistola y acompañé a Laura hasta la primera planta del museo. Estábamos solos. Lo peor ya había pasado. Nos sentamos en un banco, silenciosos, el uno al lado del otro.

Esperé algunos minutos a que Laura **se serenara**[339] para empezar a explicárselo todo:

* * * * * *

336 **Resbalar:** Escurrirse, deslizarse, desplazarse algo (en el texto, la pistola) con un movimiento continuo por una superficie plana o lisa (en el texto, las manos).

337 **Eterno/-a:** Que no tiene principio ni fin. Este adjetivo se usa con frecuencia para referirse a algo que durará para siempre.

338 **Mágico/-a:** Maravilloso, estupendo.

339 **Serenarse:** Tranquilizarse, sosegarse.

—Fue tu padre quien me propuso como conservador del nuevo museo —empecé a decirle—. Por eso cuando hablé por primera vez con Espinosa, éste no sabía ni que yo era profesor ni que no había trabajado nunca como conservador de un museo. Tu padre debió de conocerme en alguna de las exposiciones de pintura que hizo en San Diego. Supo que yo trabajaba también como detective y **acudió**[340] a mí para **sacar a la luz los trapos sucios**[341] de Espinosa. No quiso pedirte ayuda a ti, Laura, ni **mezclarte**[342] en este peligroso asunto porque no quería que corrieras ningún peligro. Ya había sufrido bastante con la muerte de tu madre...

"Como asesor de Espinosa —continué diciendo—, tu padre sabía muy bien de dónde provenía el **dinero negro**[343] que el magnate **invertía**[344] en arte: de los fondos estatales. Hábilmente y en secreto, fue reuniendo documentos que **incriminaban**[345] a Espinosa.

"También descubrió que éste intentaba asesinar al alcalde. Sin embargo, cuando por fin se encontró conmigo en la mansión del magnate, no podía **ponerme al**

* * * * * *

340 Acudir: Recurrir a alguien o valerse de una persona para conseguir algo.

341 Sacar a la luz los trapos sucios: Esta expresión significa 'hacer públicas las faltas o delitos de alguien, en especial, cuando se discute con esa persona'.

342 Mezclarse: Introducirse, meterse en algún sitio donde hay cosas o personas confundiéndose con ellas.

343 Dinero negro: Dinero que se obtiene de manera ilegal, o que no se declara públicamente en los intercambios comerciales.

344 Invertir: Este verbo, cuando se refiere a bienes de capital, tiene el significado de 'emplear, gastar o colocar el dinero en negocios para que dé beneficios'.

345 Incriminar: Atribuir a alguien un delito o culpa. En el texto, los documentos incriminan a Espinosa en un delito de fraude, ya que compra obras de arte para blanquear su dinero.

corriente de[346] todo lo que había descubierto porque se sentía vigilado. Así que me citó en su casa. Ahí cometió su único error. Un error que resultaría fatal para él. Habló conmigo delante de la condesa Lula. Esa mujer es inofensiva, incluso me cae bien, pero no puede mantener la boca cerrada.

"En cuanto el magnate supo de nuestro encuentro, **se olió**[347] que tu padre tenía en su poder algo que podía hacerle mucho daño y, además, que estaba dispuesto a todo. Espinosa no podía permitirse que me contara lo que sabía. Así que envió a Zano, su **secuaz**[348], a registrar la casa de tu padre antes de que yo pudiera hablar con él. Zano no encontró nada allí porque, muy astutamente, tu padre ya me había hecho llegar las pruebas que inculpaban a Espinosa...

"Yo sé dónde están las pruebas, gracias a tu padre, Laura —dije mirándola a los ojos—. Ahora no podemos perder mucho tiempo. Aún corremos peligro —añadí y separé la llave que me envió Rafael Mínguez de las demás—. Toma esta llave, ve a la **Estación de Ferrocarriles del Atlántico**[349] y en la taquilla número treinta y

* * * * * *

346 Poner al corriente a alguien de algo: Expresión que se significa 'explicar o comunicar a alguien algo que debe saber'. Por ejemplo: *El director del museo puso al corriente al pintor de las condiciones de las salas.*

347 Olerse: Sospechar o suponer algo oculto.

348 Secuaz: Individuo que sigue las ideas de otra persona o grupo de personas y que obedece sus órdenes. Se utiliza en sentido peyorativo, aplicado a delincuentes o a grupos de personas rechazadas por la sociedad.

349 Estación de Ferrocarriles del Atlántico: Edificio de madera situado al noreste de San José y en el que actualmente está el Museo de San José. Las siglas de la Estación de Ferrocarriles son *FF.CC.* Cabe añadir que, aunque tanto San José como otras ciudades costarricenses conservan una parte de sus estructuras ferroviarias, desde el terremoto de 1991 se suspendieron las dos líneas de transporte por ferrocarril que existían en el país.

nueve encontrarás los documentos... Y, si estoy en lo cierto, también hallarás un cuadro muy querido por tu padre... No creo que te sigan. Pero ten mucho cuidado... Si observas algo extraño, sea lo que sea, olvídate tanto de los documentos como del cuadro y huye. ¿De acuerdo?

—Sí —asintió Laura—. ¿Y luego?

—Luego ve al aeropuerto. Yo me reuniré contigo allí...

—¿Adónde vas? —me preguntó.

—Voy a buscar a una persona que **se encargará**[350] de los documentos. No conozco a nadie mejor... Confía en mí.

350 Encargarse: Hacerse cargo de alguien o de algo.

Capítulo 11

La huida

En la puerta de comisaría, el sargento Coronado estaba rodeado por periodistas, micrófonos y **cámaras**[351] de televisión **sedientos**[352] de información. Sin bajar del coche, llamé a Manuel Pardo y lo invité a que subiera.

—Coronado iba a hacer unas declaraciones. **Por lo visto**[353], la policía acaba de detener a Zano —me informó Manuel una vez que dejamos atrás al grupo de periodistas y **enfilamos**[354] la sexta avenida—. Zano no tardará en **confesar**[355], aunque me temo que eso no servirá para que **encarcelen**[356] a Espinosa. Tiene la **influencia política**[357] y el dinero suficientes como para pagarse unos buenos abogados... ¡Cuidado! —exclamó cuando torcí bruscamente a la derecha en la calle catorce—. Quiero llegar a viejo, ¿sabes? —dijo sonriendo.

—Perdona —me disculpé.

* * * * * *

351 **Cámara:** Aparato que se utiliza para registrar imágenes animadas para el cine, la televisión o el vídeo. La palabra *cámara* también designa a la persona que maneja este aparato. Por ejemplo: *A la señal del cámara, el presentador empezó su entrevista.*

352 **Sediento/-a:** Que desea una cosa con muchas ganas. En el texto, los periodistas están deseando que el sargento empiece a hablar.

353 **Por lo visto:** Esta expresión significa 'al parecer, según se deduce o se puede entender por determinadas señales o motivos'.

354 **Enfilar:** Dirigir algo hacia algún lugar o tomar una dirección determinada.

355 **Confesar:** Declarar la persona que está en la cárcel sus actos ante la justicia.

356 **Encarcelar:** Meter a alguien en la cárcel.

357 **Influencia política:** Poder o autoridad de una persona con la cual se puede obtener una ventaja o beneficio.

—¿Adónde me llevas con tanta prisa? —preguntó intrigado.

—Vamos al aeropuerto —respondí—. Allí nos espera Laura con algo de lo que quiero que tú te encargues. Algo que sí enviará a Espinosa a la cárcel, por muy buenos que sean sus abogados —añadí, devolviéndole la sonrisa.

Mientras salía de la ciudad, le conté a Manuel lo sucedido en el museo. También le expliqué, casi con las mismas palabras que le dije a Laura, cómo Rafael Mínguez había puesto su vida en peligro para entregarme los documentos.

—Si lo que me has contado se hace público, el pintor se convertirá en **héroe**[358] nacional —dijo Manuel después de escuchar atentamente mi relato.

—No existen héroes, al menos, no en esta historia —le dije muy serio, concentrándome en la conducción—. Existen personas que tratan de borrar su pasado, como quien borra la catarata de un cuadro porque le molesta el ruido del agua, y personas que intentan por todos los medios **rectificar**[359] o no cometer los mismos errores que cometieron. Rafael Mínguez pertenecía a esta última clase de personas. No era ningún héroe —negué con la cabeza y le miré a los ojos.

Mi amigo Manuel comprendió enseguida que tras la gravedad e importancia de mis palabras había un valioso secreto. Sus ojos **pedían a gritos**[360] conocer ese secreto.

* * * * * *

358 Héroe: Persona que realiza una acción extraordinaria, con peligro o riesgo de su vida, por lo que es digna de admiración. El femenino de esta palabra es *heroína*.

359 Rectificar: Corregir o modificar alguien sus opiniones o su conducta.

360 Pedir a gritos: Expresión que significa 'pedir algo con mucha insistencia o necesidad'. En el texto, el periodista quiere intensamente *(está pidiendo a gritos)* que Cortés le cuente su secreto.

Salíamos ya de la ciudad rumbo al aeropuerto por una carretera que corría paralela al **río Torres**[361]. El día era espléndido y el sol brillaba en el espejo del agua.

Detuve el coche en un lugar en el que la carretera formaba un **recodo**[362] verde, cerca de la **orilla**[363] del río. Entonces le mostré el diario que, junto con la llave, me había enviado el pintor antes de fallecer.

—Además de la llave, Rafael Mínguez también me envió este diario —le dije a Manuel al tiempo que se lo tendía—. Es el diario incompleto de una mujer joven. Empieza el día 5 de abril de 1972 y acaba el 7 de marzo de 1973. A pesar de que termina bruscamente y de que algunas de las hojas han sido arrancadas, el diario me ha permitido **recomponer**[364] parte de la historia de esa mujer.

”Ella es una joven bella y pobre. Está enamorada de un joven también pobre, pero con **aptitudes**[365] artísticas y una ambición tan grande como su pobreza. Nada nuevo bajo el sol. De no ser porque el hijo del **patrón**[366] para el que los dos jóvenes trabajan recogiendo café cae

* * * * * *

361 Río Torres: El área metropolitana de San José está colocada entre dos ríos: el Torres, situado al norte, y el María Aguilar, situado al sur.

362 Recodo: Esquina o curva cerrada que forma un camino, una calle, un río, etc., cuando cambia de dirección.

363 Orilla: Línea de contacto entre la tierra y el mar, un lago, un río, etc.

364 Recomponer: Arreglar algo de nuevo, formando una cosa a partir de varias, juntándolas y colocándolas con cierto orden de una manera determinada.

365 Aptitud: Capacidad de alguien o algo para ejercer una tarea o un negocio. Por ejemplo: *El joven Rafael Mínguez tenía aptitudes para la pintura.*

366 Patrón/-ona: Persona que da trabajo a obreros o trabajadores. El *patrón* también es el dueño de la casa en la que se aloja o vive alguien; o bien, el que manda y dirige un pequeño barco de mercancías.

perdidamente enamorado de ella. La muchacha a la que me refiero se llama Elisa Freyre y está embarazada del joven pintor...

—Creo que te refieres a Rafael Mínguez —dijo Manuel.

—Sí. Y el hijo del patrón es **ni más ni menos**[367] que un joven llamado Alonso de Espinosa —dije—. Pero sigamos con la historia. Elisa y Rafael van a ser padres. Son jóvenes y pobres, y están asustados. Ella quiere tener a su hijo. Rafael, no. Rafael cree que un hijo acabará con su carrera de pintor...

"El joven Rafael trata entonces de aprovecharse del amor que siente por ella Espinosa y va a pedirle dinero o ayuda. O quizá es Espinosa quien propone al pintor **encumbrarle**[368] a la fama a cambio de que se separe de Elisa. Eso no lo sé con seguridad, puesto que el diario sólo explica que Rafael y Espinosa estuvieron hablando. Tan sólo sé que las dos cosas son posibles, puesto que uno es lo suficientemente ambicioso, y el otro tiene el poder y el dinero necesarios.

"Lo único seguro es que **a raíz de**[369] ese encuentro entre ambos, Rafael se fue distanciando de Elisa. Ella, como explica en su diario, sufría porque no entendía esa separación y porque no amaba a Espinosa. El diario concluye el 7 de marzo. Bien. Pues Rafael Mínguez no se perdonaría nunca ni el hecho de haberse separado de Elisa ni lo que sucedió a continuación.

* * * * * *

367 Ni más ni menos: Expresión que significa 'justamente, exactamente'.

368 Encumbrar: Ensalzar, engrandecer a alguien ayudándolo y poniéndolo en puestos o trabajos de responsabilidad, de poder o de gran prestigio social.

369 A raíz de: Inmediatamente después de. Por ejemplo: *A raíz del encuentro entre Rafael y Espinosa, todo cambió: después de ese encuentro Rafael se distanció de Elisa.*

"Según uno de los periódicos de la época —dije y saqué la fotocopia del artículo de *La República*—, al día siguiente Espinosa sufrió un grave accidente de coche cuando se dirigía a la casa que tiene cerca del río. La casa donde de pequeño pescaba con su padre. La misma casa en la que iba a casarse aquel fin de semana...

"Cuando sufrió el accidente de coche, Espinosa viajaba acompañado de Elisa Freyre que, como puede leerse en el periódico, era ya su prometida. La última línea que escribió Elisa en su diario fue ésta: "No lo haré. No lo amo. Antes, muerta". Sin duda, se refería a que no se casaría con Espinosa... ¿Qué pasó en aquel coche? ¿Fue tan sólo un casual accidente? Nunca lo sabremos...

"Lo único que sabemos es que Espinosa salió del hospital, cojeando **de por vida**[370]. Y que Elisa murió en el hospital, tras dar a luz a su única hija, Laura. Rafael Mínguez se hizo cargo de la niña... De su hija.

"La primera vez que visité la mansión de Espinosa quedé totalmente fascinado por una pintura. Estaba delante, ahora lo sé, del retrato de Elisa que Rafael pintó antes de que ella muriera. ¿Por qué lo tenía Espinosa? Tampoco lo sé. Si sé, en cambio, que ese cuadro era para Espinosa un recuerdo molesto que quería borrar o esconder. Mientras que para Rafael, el retrato de Elisa era el recuerdo del precio que tuvo que pagar para ser famoso: perder a la mujer que amaba.

"La mañana del mismo día en que lo asesinaron, Rafael fue a casa de Espinosa y se llevó consigo ese cuadro. Su cuadro. Ya no tenía nada que perder, **salvo**[371] la vida.

* * * * * *

370 De por vida: Expresión que significa 'perpetuamente, por todo el tiempo que alguien vive'.

371 Salvo: Excepto; con excepción de.

Guardó el retrato junto con los documentos en un lugar seguro. Luego me envió la llave y el diario. Quizá ésa fue su manera de **saldar**[372] las cuentas con el pasado...

Dejé de hablar. Ahí acababa la historia que yo había reunido a partir de un cuadro y de un diario. Juntando pedazos de aquí y de allá. Tenía la boca seca. Manuel miraba, sin verlas, las tapas que yo le había puesto al diario. También miró la fotografía en blanco y negro de la madre de Laura.

—Sé que las relaciones entre Laura y su padre no eran buenas últimamente —empezó a decir Manuel levantando los ojos de la fotografía—. Yo creo que el pintor sí que tenía mucho que perder. No podía **quedarse de brazos cruzados**[373] viendo cómo perdía a su hija..., de la misma manera que había perdido antes a Elisa...

—Yo también lo creo —asentí—. Posiblemente eso lo llevó a actuar tan precipitadamente —agregué y **me encogí de hombros**[374].

—¿Crees que Laura conoce esta historia? —preguntó Manuel devolviéndome el diario de Elisa y la fotocopia del artículo.

—No lo sé —respondí. Guardé el diario y la fotocopia, y arranqué de nuevo el coche—. Si no la conoce, habrá tiempo para explicársela. Ya ha sufrido bastante estos últimos días...

—Eres un buen amigo, Sergio —dijo Manuel.

* * *

* * * * * *

372 Saldar: Terminar de pagar lo que se debe.

373 Quedarse de brazos cruzados: Expresión que tiene el significado de 'quedarse sin hacer nada, no actuar'.

374 Encogerse de hombros: Esta expresión significa 'no saber una persona o no querer responder a lo que se le pregunta'.

En el aeropuerto nos esperaba Laura. Tenía los documentos y el retrato de Elisa. Compramos dos billetes del primer avión en que aún quedaban plazas libres. Tuvimos suerte. Uno, con destino a **Panamá**[375], salía inmediatamente.

No sentí celos cuando Laura y Manuel se abrazaron, sino una mezcla de pena y alegría inmensas. Luego fui yo quien abrazó a Manuel.

—Ten cuidado —le dije al despedirme—. Espinosa aún está libre y mataría por tener esos documentos.

—Tranquilo. Tan sólo sabrá quién los tiene después de leer el periódico. Sube a ese avión, Sergio. Tú ya hiciste bastante. Ahora deja que sean los *ticos* y la justicia los que se encarguen de todo... Dedícate a cuidar de esa mujer. Venga, Laura te está esperando...

Lo vi alejarse y pensé cuánto me alegraba haber vuelto a verlo.

* * * * * *

375 Panamá: (República de Panamá) País centroamericano situado entre Costa Rica (al oeste) y Colombia (al este), y entre el mar Caribe (al norte) y el océano Pacífico (al sur).

Epílogo

Los amigos

El sol otoñal palidecía sobre la universidad de San Diego. Ahora que **se habían reanudado**[376] las clases, el edificio se había llenado repentinamente de alumnos que abarrotaban los jardines, las escaleras, los pasillos y las aulas. Entre gritos y risas se explicaban los unos a los otros qué habían hecho durante las **vacaciones**[377].

Solo, sentado de nuevo en la mesa de mi despacho, yo contemplaba en silencio el retrato de Elisa. Ése fue el último regalo que me hizo Laura.

A partir de ahora, cuando volviera a sentir la necesidad de escapar de las cuatro paredes de mi despacho, sólo tendría que mirar ese cuadro para recordar el viaje y las aventuras vividas en Costa Rica.

Al mirarlo, sabría que era un hombre afortunado. Un hombre que tenía la inmensa suerte de poder confiar en alguien como Manuel Pardo. Él me había demostrado que era periodista no sólo por la necesidad de ver, entender y explicar las cosas, sino también para **contribuir**[378] a cambiarlas. De hecho, a raíz de la publicación en sus últimos artículos de cada uno de los fraudes cometidos por Espinosa, éste se había visto obligado a exiliarse para no ir a la cárcel.

* * * * * *

376 **Reanudarse:** Volver a iniciar algo que se ha interrumpido para seguir o continuar con ello.

377 **Vacaciones:** Esta palabra, usada generalmente en plural, se refiere al fin del trabajo o de los estudios durante algún tiempo para descansar.

378 **Contribuir:** Ayudar, favorecer.

Espinosa **escapó**, sí, pero nadie puede **huir**[379] de sí mismo. Y menos aún de su pasado.

Aunque lo que primero vendría a mi mente al contemplar el retrato que colgaba de mi despacho sería la imagen de una mujer llamada Laura. Una mujer que era *pura vida*. Después de que voláramos juntos a Panamá, pasé con ella algunos de los días más felices que recuerdo.

Ese tiempo de felicidad duró lo que dura un trozo de hielo en el fuego. Al fin, Laura regresó a San José tras aceptar la **cartera**[380] de medio ambiente que le ofreció el nuevo presidente del país, Raúl Izquierdo. Yo sabía muy bien que aquél era el lugar que ella amaba y que allí estaban los suyos. Además, siempre podría **consolarme**[381] pensando que, con su trabajo, Laura conseguiría que Costa Rica siguiera siendo el paraíso verde que yo visité un día.

Recordando a esos dos seres, preparé la primera clase del curso. Les hablaría a mis alumnos de un importante grupo de poetas españoles de principios de siglo. Unos poetas unidos por inquietudes comunes y por fuertes lazos de amistad. Ése sería, en definitiva, mi homenaje secreto y mi pequeño granito de arena para contribuir a que la poesía dejara de ser un género minoritario.

Naturalmente, ya sabía con qué poema empezaría mi clase. No me hizo falta abrir uno de los libros que se amontonaban a la izquierda de mi escritorio. Podía recordarlo de memoria. Se titulaba ***Los amigos***[382] y decía así:

* * * * * *

379 **Escapar y huir:** Mientras que *escapar* tiene el significado de 'librarse de algo', *huir* significa 'apartarse de alguien o de algo a toda prisa'.

380 **Cartera:** Trabajo de ministro. Por ejemplo: *Laura aceptó la cartera de medio ambiente y fue ministra durante cuatro años.*

381 **Consolar:** Aliviar la pena o el sufrimiento de alguien.

382 ***Los amigos*:** Poema de Jorge Guillén incluido en su libro *Mientras el aire es nuestro* (ver nota 278).

Amigos. Nadie más. El resto es selva.
¡Humanos, libres, lentamente ociosos!
Un amor que no jura ni promete
reunirá a unos hombres en el aire,
con el aire salvándose. Palabras
quieren, sólo palabras y una orilla:
esos recodos verdes frente al verde
sereno, claro, general del río.
¡Cómo resbalarán sobre las horas
la vacación, el alma, los tesoros!

1 **Vamos a ver si has entendido bien los cuatro últimos capítulos de *El retrato de Elisa* y si recuerdas algunos de sus detalles. Señala si estas frases son verdaderas (☺) o falsas (☹).**

1 Durante la ceremonia de inauguración, Zano pretendía asesinar al alcalde Raúl Izquierdo. Por eso se disfrazó de policía. ☺ ☹

2 Laura Mínguez apuntaba a Espinosa con una pistola porque sabía que el magnate había encargado a Zano asesinar a su padre y al alcalde. ☺ ☹

3 Espinosa propuso a Sergio como conservador del museo. Le conoció en San Diego y sabía que era profesor y detective. ☺ ☹

4 El pintor Rafael Mínguez envió a Sergio el diario de Elisa Freyre. Ella era la mujer pintada en el cuadro y la madre de su hija Laura. ☺ ☹

5 Cuando murió, Elisa Freyre estaba embarazada de Rafael Mínguez, pero iba a casarse contra su voluntad con Espinosa, a quien no amaba. ☺ ☹

6 Espinosa propuso a Rafael Mínguez encumbrarle a la fama a cambio de separarse de la mujer que amaba. ☺ ☹

7 Sergio Cortés confió los documentos que inculpaban a Espinosa a su mejor amigo, Manuel Pardo, para que los publicara en el periódico. ☺ ☹

8 Después de la publicación de los artículos, Espinosa fue detenido. ☺ ☹

9 Laura Mínguez regresó a Costa Rica tras aceptar un cargo en el nuevo gobierno de Raúl Izquierdo.

10 Sergio Cortés se quedó con el retrato de Elisa que pintó Rafael Mínguez. Éste fue el último regalo de Laura.

2 **En la columna A tienes unas expresiones, y en la B tienes lo que significan. Únelas para que tengan sentido.**

A	B
1 En un abrir y cerrar de ojos.	a Burlarse de alguien.
2 Salirse alguien con la suya.	b Inútilmente, sin que sirva de nada lo que se ha hecho.
3 Tomar el pelo a alguien.	c Parecerse mucho una persona a otra.
4 En vano.	d En un instante, en un momento.
5 Ser el vivo retrato de alguien.	e Conseguir una persona lo que quiere.

3 **Ahora asocia las palabras de la izquierda (son nexos) con las de la derecha (los significados correspondientes). Fíjate en el ejemplo que te damos.**

1 porque →	a comparación
2 para que	b causa
3 por tanto	c objeción
4 si	d finalidad
5 aunque	e consecuencia
6 tanto como	f condición

4 **Las siguientes oraciones te ayudarán a relacionar la información de causa y consecuencia. Señala la respuesta correcta en cada caso.**

1 Cuando Sergio Cortés despertó, supo que Laura se había marchado ____________ había dejado una nota para él en la mesa.
a porque **b** como **c** así que

2 ____________ todas las precauciones son pocas cuando se llevan encima objetos tan importantes, Sergio cambió las tapas del diario y puso la llave junto con las del coche.
a porque **b** como **c** así que

3 Sergio Cortés aún guardaba la factura que encontró en el coche de Zano. Tenía tiempo, ____________ iría a la tienda *Carnaval Tico* para comprobar si era o no importante.
a porque **b** como **c** así que

4 ____________ el diario de Elisa terminaba el 7 de marzo de 1973, el profesor Cortés fue a la biblioteca a consultar los periódicos del día siguiente, el 8 de marzo de 1973.
a porque **b** como **c** así que

5 No hizo falta que el dependiente de *Carnaval Tico* le describiera a Sergio el aspecto del hombre que compró el disfraz ____________ Sergio ya sabía que se trataba de Zano.
a porque **b** como **c** así que

6 Zano quería asesinar al alcalde Raúl Izquierdo, ____________ Sergio tenía que impedirlo.
a porque **b** como **c** así que

7 ____________ el alcalde es el máximo rival político de Espinosa, asesinarlo supondría para Espinosa ganar cómodamente las elecciones y poder construir la autopista sin problemas.
a porque **b** como **c** así que

8 A Espinosa no podrían acusarlo de asesinato ____________ tendría como coartada y como testigos la televisión y la propia policía.
a porque **b** como **c** así que

5 Lee estas frases y complétalas con la forma verbal adecuada (imperativo).

1 —Naturalmente que puede usted hacer una fotocopia del artículo periodístico. (**Venir**) ______________ conmigo —le dijo la bibliotecaria a Sergio Cortés.

2 —Necesito que (**comprobar, usted**) ______________ esta factura. Quiero saber qué compró aquella persona —dijo Sergio al dependiente de *Carnaval Tico*.

3 —(**Ir, nosotros**) ______________ a entrar en el museo —dijo el sargento de policía Coronado—. Pero (**escuchar, usted**) ______________ bien, señor Cortés. Todo se va a hacer como yo diga.

4 —No (**disparar, tú**) ______________. Si lo haces, la muerte de tu padre habrá sido en vano —le dijo Sergio a Laura en el museo.

5 (**Tomar, tú**) ____________ esta llave y (**ir, tú**) ____________ a la Estación de Ferrocarriles del Atlántico. En la taquilla número treinta y nueve encontrarás los documentos y un cuadro —le dijo Sergio a Laura antes de ir a buscar a su amigo el periodista.

Parte 1: Azul

1 **verdaderas** (☺): 1, 3, 6, 7, 8, 10
falsas (☹): 2, 4, 5, 9

2 A Sergio Cortés le llamó enseguida la atención el **gran** retrato de una mujer. Era muy **fea**, también fría y enigmática. El pintor había **resaltado** sus rasgos. Sus ojos y cabellos muy **claros** contrastaban con su cara, **negra** y **rugosa**. Sergio Cortés estaba **detrás** del retrato de Elisa.

3 El café y el turismo **son** las principales fuentes de riqueza de la economía de Costa Rica. Por su calidad, el café costarricense **está** considerado como uno de los mejores del mundo. Las principales plantaciones cafetaleras están situadas en el Valle Central y en el Valle de Turrialba. La recogida del café, lo que los costarricenses **llaman** "granos de oro", dura desde octubre hasta enero en el Valle Central y desde marzo a noviembre en el Valle de Turrialba. Los habitantes de la zona y los estudiantes **participan** en la recogida del grano. El café es originario de Abisinia y **fue** introducido en Costa Rica hacia el año 1810.

4 1 f
2 e
3 a
4 c
5 b
6 d

5 1 parecía.
2 estaba, sonó.
3 había recibido.
4 señala, apunta.
5 sabe.

Parte 2: Rojo

1 **1** e
2 g
3 a
4 c
5 i
6 b
7 h
8 f
9 j
10 k
11 d
12 l

2 **1** La condesa Lula le explica a Sergio que ha contratado a cinco actores para la inauguración y que irán disfrazados de estatuas.
2 El sargento de policía Coronado le dice a Sergio que va a tener que acompañarle a comisaría.
3 Alonso de Espinosa advierte al profesor Cortés que deje de jugar a los detectives y que no meta las narices en donde no le llaman.
4 Manuel Pardo le susurra a Sergio que cuide él de Laura y que esa mujer es *pura vida.*

3 Mientras Sergio Cortés se afeitaba, recordó que había tenido una pesadilla digna de un **viejo** emperador chino. Soñó que el retrato de Elisa estaba colgado en su **estancia.** Ella estaba viva y **surgía** del cuadro para pedirle **auxilio.** De pronto, aparecía Alonso de Espinosa, **guiaba** a la mujer de nuevo al cuadro y **escondía** el retrato en otra sala.

4 A pesar de ser un país pequeño, Costa Rica siempre **ha tenido** una gran diversidad de especies animales y vegetales. Actualmente, **existen** más de 6.000 especies vegetales, entre ellas 1.200 tipos de orquídeas y 1.400 especies de árboles. Hace cincuenta años, tres cuartas partes del territorio **estaban** cubiertas por selvas vírgenes. Aún lo estarían si no fuera por la deforestación. En 1960, el gobierno de Costa Rica **llegó** a un acuerdo para la creación de un plan que protegiera la riqueza ecológica del país. A partir de entonces, el 12% de la superficie **fue / ha sido** declarada Parque Nacional y casi el 27% **pasó / ha pasado** a ser territorio protegido.

En Costa Rica **se pueden** visitar 68 volcanes, entre los que se encuentran el Poás y el Irazú; ambos **se sitúan** en la cordillera Central. Entre sus selvas, **destacan** por su belleza la de Tortuguero y la de Corcovado.

5 **1** c
2 d
3 a
4 b

Parte 3: Blanco

1 **verdaderas** (☺): 2, 4, 5, 6, 7, 9
falsas (☹): 1, 3, 8, 10

2 **1** d
2 e
3 a
4 b
5 c

3 **1** b
2 d
3 e
4 f
5 c
6 a

4 **1** a
2 b
3 c
4 b
5 a
6 c
7 b
8 a

5 **1** venga
2 compruebe
3 vamos, escúcheme
4 dispares
5 toma, ve